ムクウェゲ医師、平和への闘い

―「女性にとって世界最悪の場所」と私たち

立山芽以子・華井和代・八木亜紀子

岩波ジュニア新書 986

はじめに

「私たちが使っているパソコンやスマートフォン、ゲーム機が、遠くアフリカでの人権侵害につながっている」と言われたら、あなたはどう思いますか。

多くの人は驚くと思いますが、そのようなつらい現実があります。私たちにとって身近な電子機器の部品に使われている鉱物が、コンゴ民主共和国（以下、コンゴとよびます）というアフリカの国において紛争の資金源として利用され、鉱山の周辺に暮らす住民たちが政府軍や武装勢力の兵士から暴力を振るわれる原因になっているのです。

暴力の中には、住民が殺されたり、家や財産を奪われたりすることに加えて、女性に対する性暴力もあります（ときには男性が性暴力にあうこともあります）。性暴力とは、同意なく無理やりに行われる性行為を指します。強姦（ごうかん）（レイプ）もそのひとつです。性行為は本来、愛し合う者同士が愛情を伝え合ったり、子どもをつくったりするための大切な行為です。だからこそ、無理やりに行われる性行為は相手の尊厳を深く傷つけ、体と心に大きな傷を残します。残念なことに、特に紛争においては相手をひどく傷つけることを目的として性暴力が使われてしまうのです。

日本に暮らす私たちの生活を便利にしてくれるパソコンやスマートフォンが残虐な暴力につながっているとは、とても悲しくて衝撃的です。

本書は、その衝撃的な事実を知り、「他人事のままにしてはいけない、私にできることをしなければ」と心に深く決意して行動に移した三人の女性、立山芽以子、華井和代、八木亜紀子が語るコンゴの話です。


私たちが行動を起こすきっかけとなったのは、コンゴ人の婦人科医であるデニ・ムクウェゲさんとの出会いでした。ムクウェゲさんは、コンゴ東部にあるブカブという町にパンジ病院を建てました。そして、性暴力によって体と心に深い傷を負い、ときには家庭や村で暮らせなくなってしまう女性たちを受け入れて治療し、体と心と生活を立て直すためのさまざまな救済活動をしてきました。

ムクウェゲさんの活動は、「紛争の武器として性暴力が使われることを終わらせようとする努力」として国際社会から評価され、二〇一八年にノーベル平和賞を受賞しました。イラクの人権活動家のナディア・ムラドさんとの共同受賞でした。

ムクウェゲさんと出会ってコンゴの実情を学び、深く心を動かされた私たち三人は、日本の人々に実情を知ってもらうために、それぞれの立場でできる活動を始めました。

東京大学で講演するムクウェゲさん
（写真提供：RITA-Congo）

東京大学で紛争鉱物の研究をしている華井和代は、ムクウェゲさんを日本に招いて講演会を主催するとともに、NPO法人RITA-Congo（リタ・コンゴ）という社会啓発を目的とする団体を設立しました。RITAとはムクウェゲさんが好きな日本語である「利他（りた）（ほかの人のためを思うこと）」を意味します。日本でもコンゴでも、人々がお互いを思い合う社会を築きたいという願いを込めています。

テレビ会社の社員である立山芽以子は、ムクウェゲさんの来日講演会を取材したことをきっかけに、コンゴ東部のパンジ病院を訪問して女性たちから直接話を聞き、映画『ムクウェゲ「女性にとって世界最悪の場所」で闘う医師』(二〇二二年公開)を制作しました。

NPO法人開発教育協会(DEAR)の職員である八木亜紀子は、コンゴで起きている問題と日本に暮らす私たちの間のつながりを学ぶ『スマホから考える世界・わたし・SDGs』という開発教育教材を作成・発行しました。日本各地の学校や社会教育の場で、その教材を使った授業やワークショップの実践が行われています。

本書では、私たち三人が活動を通じて知ったコンゴの女性たちのこと、鉱物を通じたコンゴと日本とのつながりのこと、そして日本に暮らす私たちにできることを描いています。

本書は六章で構成されています。第一章では、パンジ病院で治療を受けている六人の女性たちのつらい性暴力被害の経験と、立ち直ろうと努力する姿を描きます。第二章では、性暴力被害女性たちを救おうとするムクウェゲさんの活動の様子を描きます。第三章では、紛争と性暴力の背景にあるコンゴの歴史を説明します。第四章では、なぜ性暴力が行われるのかを元兵士の証言やコンゴという国が抱える問題から考えます。第五章では、コンゴと日本と世界をつないでいる「紛争鉱物」という問題について説明します。そして第六章では、日本に暮らす私たちにできることを一緒に考えてみたいと思います。

この本の中には、パンジ病院で治療を受ける女性たちが経験した性暴力の描写が出てきます。想像を絶する残酷な経験もあります。もし読むことがつらいと感じたら、無理をせずに本を閉じてください。深呼吸をして、休憩(きゅうけい)をとって、気持ちを整えてから読み続けても良いし、今の自分にはまだ受け止められないと感じたら、しばらく本棚にしまっておいても大丈夫です。誰かと話したいと思ったら、家族や先生、友だちに話してみましょう。誰かと話すことはとても大事です。そして、この問題をどうとらえたらよいのか、日本に暮らす私たちにできることは何か、ぜひ考えたり話し合ったりしてみてください。

遠くアフリカで起きている女性たちの悲劇に対して、日本に暮らす私たちにできることは小さいかもしれません。ですが、たとえ小さな蝶の羽ばたきでも、あちこちで羽ばたきが起きてそれがひとつの風となれば、何らかの変化をコンゴにもたらすことができるかもしれません。そんな希望を持って私たち三人はそれぞれの立場でできることをし始めました。この本は、コンゴで起きている紛争下の悲劇を描くと同時に、女性たちを救おうと力を尽くすムクウェゲさんの姿を描き、日本にいる私たちに何ができるのかを考えようとする試みでもあります。

あまりにひどい悲劇に目を覆(おお)いたくなり、絶望してしまいそうになることもあるでしょう。あまりに複雑な問題に頭が混乱して考えるのをやめたくなることもあるでしょう。それでも読者のみなさんが何度もこの本を開き、コンゴの女性たちの経験に胸を痛め、解決に向けて取り組んでいる人々の姿に勇気づけられ、「自分にできることは何か」を考えるきっかけとしてくださることを願います。

目　次

第1章イラスト　汪牧耘

コンゴ民主共和国の地図

コンゴ民主共和国の基本情報

<table>
<tr><td>国　名</td><td colspan="3">コンゴ民主共和国(Democratic Republic of the Congo)</td></tr>
<tr><td>首　都</td><td>キンシャサ(Kinshasa)</td><td>面積</td><td>234.5 万 km^2</td></tr>
<tr><td>人　口</td><td>9,901 万人(2022 年)</td><td>通貨</td><td>コンゴ・フラン(FC)</td></tr>
<tr><td>言　語</td><td colspan="3">フランス語(公用語)、スワヒリ語、リンガラ語、チルバ語、キコンゴ語等</td></tr>
<tr><td>民　族</td><td colspan="3">民族の数は 200 以上、大部分がバントゥー系</td></tr>
<tr><td>宗　教</td><td colspan="3">キリスト教(80%)、イスラーム(10%)、その他伝統宗教(10%)</td></tr>
<tr><td>所　得</td><td colspan="3">国内総生産(GDP):580.7 億ドル／一人あたり GNI:590 ドル(2022 年)</td></tr>
<tr><td>主産業</td><td colspan="3">農林水産業(パーム油、綿花、コーヒー、木材、天然ゴムなど)

鉱業・エネルギー(銅、コバルト、ダイヤモンド、金、錫石、コルタン、原油など)

製造業(セメント、製鉄など)</td></tr>
<tr><td>貿　易</td><td colspan="3">輸出:223.34 億ドル(2021 年)

品目:銅・銅製品、化学物質・貴金属・希土類金属、鉱石・その他卑金属、天然真珠・貴石・半貴石・貴金属、ココア、木材・木材製品
相手国:中国、南アフリカ、モザンビーク、シンガポール、香港、タンザニア、アラブ首長国連邦、ザンビア

輸入:119.71 億ドル(2021 年)

品目:鉱物燃料、機械・機械器具・原子炉・ボイラー、鉄道車両、電気機械・設備・部品、塩・硫黄・石灰・セメント
相手国:中国、インド、南アフリカ、サウジアラビア、アラブ首長国連邦、ベルギー、タンザニア</td></tr>
<tr><td>在日人数</td><td colspan="3">535 人(2022 年 12 月)</td></tr>
<tr><td>在留邦人数</td><td colspan="3">78 人(2023 年 11 月現在)</td></tr>
</table>

出典:外務省　https://www.mofa.go.jp/mofaj/area/congomin/index.html

第１章

パンジ病院で出会った女性たち

つらい経験を語る女性。映画『ムクウェゲ「女性にとって世界最悪の場所」で闘う医師』より ©TBS テレビ

ブカブは残念ながら、レイプの中心地とよばれています。何十万人もの女性が性暴力にあっています。パンジ病院で治療している人たちは氷山の一角にすぎません。女性の体に及ぼされた、残酷で非人間的、下劣な行為の結果を治療し続けています。非常に辛かったのは赤ちゃんを手術したことです。六か月の赤ちゃんです。大人によってレイプされたのです。みなさん、想像できますか。

デニ・ムクウェゲ　二〇一九年一〇月　東京大学での講演より

私(立山)がムクウェゲさんに出会ったのは二〇一六年、東京でのことでした。赤ちゃんまでがレイプされるというコンゴの現実は、日本で暮らす私には理解しがたい世界でした。「想像できますか」というムクウェゲさんの問いかけに、私は「想像できません」と答えるしかありませんでした。

二年後の二〇一八年、私はムクウェゲさんのパンジ病院を実際に訪れることになりました。

そこで私はコンゴの女性たちが直面する現実を目の当たりにすることになります。これは、私がパンジ病院で出会った女性たちの物語です。

※ここで紹介する女性たちの年齢と肩書はお話をうかがった当時のものです。

夢は洋裁店を開くこと：エステールさん（一六歳）

「抵抗しました。とても体が痛かった。そして妊娠したの」

一六歳のエステールさんの言葉です。日本でいえば高校生くらいでしょうか。ちょっと恥ずかしがりやの女の子です。彼女が武装勢力の男たちに襲われたのは、二〇一七年、クリスマスの夜のことでした。コンサートを楽しんだあと、一人で家に帰る途中に襲われたのです。

「一人目が終わったあと、二人目がやってきました。抵抗しました。とても体が痛かった。痛くて死んでしまうかと思った」

しばらくたってエステールさんは、妊娠していることに気がつきます。

「泣きました。両親も泣きました。でも、自分の子どもですからその子を愛そうと思いました」

しかし、五か月で流産してしまいました。

当時のことを思い出し、泣き出したエステールさん。もう言葉が出てきません。そのため、インタビューはここでやめることにしました。

翌日、改めてエステールさんに話を聞きました。私には聞きたいことがありました。

「なぜ、エステールさんの村に武装勢力が来るのですか？」

エステールさんは小さな声でいいました。

「私の村で金が採れるからです」

金を目当てにコンゴ人だけでなく隣国のルワンダやブルンジからも武装勢力がやって来ては女性を襲うのだと。もちろん村の男性たちは女性を守ろうとしますが、武装勢力には勝てないので、守れないのだとも。

数日後、病院の庭で元気にブランコをこぐエステールさ

エステールさん

んの姿を見つけました。大きく、力いっぱいブランコをこぐエステールさん。手を振ると、笑顔で手を振り返してくれました。

「パンジ病院で暮らすのは楽しいです。同じような問題を抱える女性たちと話をすることができ、とても安心できます」

エステールさんは、同じ体験をした女性たちとともに過ごすことで、少しずつ心を回復させています。彼女の夢はふるさとの村に帰って洋裁店を開くことです。

「素敵なお洋服をつくりたいの。素敵なお洋服を着て暮らしたいの。そして、将来はお洋服のつくり方をほかの人に教えたいの」

夢をかなえるため今、パンジ病院で治療をしながら、洋裁を一生懸命習っています。

ほしいものは平和：マリさん(二五歳)とマソカさん(五五歳)

マリさんは二〇一八年六月、畑に行く途中で武装勢力の男二人にレイプされました。彼女は妊娠中でしたが、そのときに受けた暴力が元で、おなかの子どもは死んでしまいました。

レイプされたあと、夫は彼女が汚れていると考え、家を出て行ってしまいました。

　マリさんは言います。

「夫とまた一緒に暮らせるのか、不安です」

　壊れてしまった家族。マリさんは今、あることを強く願っています。

「私は平和を強く望みます。なぜなら、井戸に水を汲みに行くにも、畑に行くにも、市場に行くにも、その途中でまた武装勢力に出会ったらと思うと、とても怖いのです。私をレイプした人を見つけて、裁判にかけて、罰してほしいです」

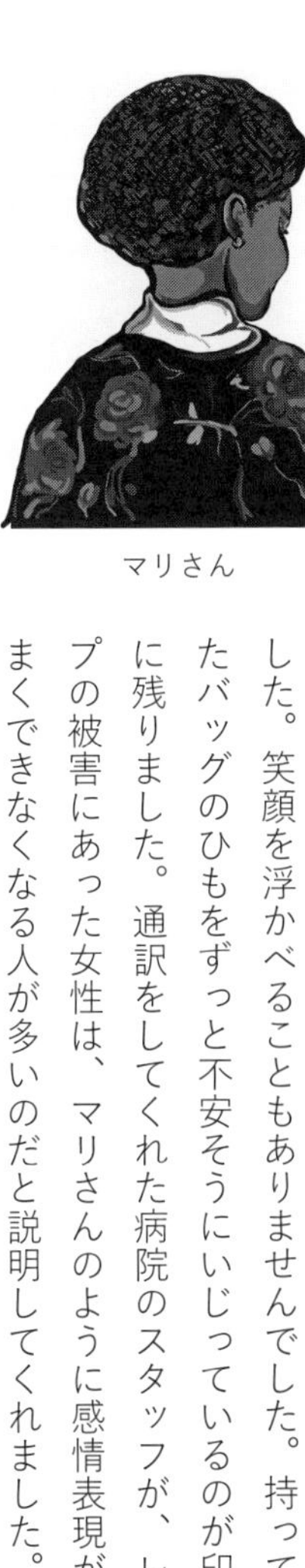
マリさん

　話をしている間ずっと、マリさんは表情を変えませんでした。笑顔を浮かべることもありませんでした。持っていたバッグのひもをずっと不安そうにいじっているのが印象に残りました。通訳をしてくれた病院のスタッフが、レイプの被害にあった女性は、マリさんのように感情表現がうまくできなくなる人が多いのだと説明してくれました。
　コンゴでは畑仕事や森での薪あつめ、農作物を市場に売りに行く仕事を主に女性が担（にな）っています。そのため、畑や森の中でレイプの被害にあう人も多いのです。

　マソカさんもその一人です。市場に農作物を運ぶため、女性一〇人と一緒に重い荷物を背負って森の中を通っているとき、武装勢力の男たちに見つかって全員がレイプされてしまいました。男たちは女性を木に縛りつけて暴力を振るいました。

マソカさん

　マソカさんの村では森の中で女性が被害にあうケースが多いといいます。しかし、生きていくためには森を通って市場に農作物を運ばなくてはなりません。そのため、女性たちは集団で行動するなど自衛策をとっていますが、武器を持った男たちにはかないません。

　マソカさんは、悪い夢を見るようになりました。自分がレイプされている夢です。目覚めたときは頭や体が痛くなります。しかし、パンジ病院で体の傷を治療するとともにカウンセリングを受けたことから、今は悪い夢は見なくなりました。

看護師になって先生を助けたい：アルフォンシーヌさん（二一歳）

アルフォンシーヌさんのインタビューは、パンジ病院の敷地内にある学校の教室で行いました。彼女はここで看護師になるための勉強をしています。そのため、彼女は白いワンピースに白い帽子という学校の制服姿で現れました。

アルフォンシーヌさん

「勉強は楽しいですか？」

緊張している様子のアルフォンシーヌさんに私はまずこう声をかけました。

「楽しいです。毎日勉強しています。生理学、解剖学、社会学が好きです」

緊張がほぐれたのか、落ち着いた口調で彼女は武装勢力が村にやってきたときのことを話し始めました。

「家に（コンゴの隣国）ルワンダ人の武装勢力の男たちが

やってきました。真夜中のことです。お母さんは手を縛られて、頭を鉈で殴られて、脳みそが飛び出しました。お父さんは首を切られ、床に広がったお母さんの血の中に倒れこみました。家族はみんな殺され、私は一人ぼっちになってしまいました。八歳のときのことです」

逃げようとしましたが、兵士が家の中で見張っていて、逃げることができませんでした。

アルフォンシーヌさんは、そのまま森に連れていかれました。村の女性五〇人も一緒でした。

「森の中を連れまわされ、動物みたいな生活を送りました。ずっと森の中を歩かされました。兵士が前と後ろで見張っていて、逃げることはできませんでした。食事は一日一回で、本当に質素なものしか与えられませんでした」

そして武装勢力の男たちはアルフォンシーヌさんをレイプしました。

「男たちはまるでご飯を食べるかのように、入れ代わり立ち代わりやってきて、私をレイプしました。相手が誰かもわからない。すべての人に犯されたのです」

一三歳のとき、体の異変に気がつきます。

「最初は妊娠したということがわからなかったんです。病気かと思いました。服がどんどん体に合わなくなって、歩くのが大変になりました。おなかの中で何かが起きていることはわかりました」

八歳から森の中で暮らしている女の子が、自分の体に何が起きているのかなんてわかるはずもありません。教えてくれるお母さんもいないのですから。アルフォンシーヌさんは自分の体の変化に戸惑（とまど）い、悩みます。

「子どもの父親が誰なのかもわかりません。産むべきなのか。でも、この森の中でどうやって育てるのか？　私は絶望していました。いっそ、死んだらいいと思いました」

しかし、男たちはさらなる残酷な仕打ちをアルフォンシーヌさんに行いました。

「出産の時期になると男たちは、私のおなかを刺しました。子どもは死んでしまいました。私は森の中に置き去りにされました。子どもも内臓も腐ってしまいました」

たまたま通りかかった人が、パンジ病院に連れてきてくれました。

「病院に着いたとき、私は死んだも同然でした。内臓も、子どもも腐っていました。私は糞尿（ふんにょう）にまみれ、汚れ、蔑（さげす）まれるべき、恥ずかしい存在でした。先生に診（み）てもらうのは恥ずかしかった。なのに、ムクウェゲ先生は、食事をとる時間も惜しんで必死に手当てをしてくれました。そのとき、私は尿で先生の服を汚してしまいました。でも先生は「私はあなたのお父さんなんだから、気にするな」と言ってくれたんです」

病院に運ばれてきたときは、歩くこともできなかったアルフォンシーヌさん。傷ついた膣(ちつ)や内臓を再生させるため、一三回の手術を受けました。

「先生のこと、大好きです。病院に運ばれてきたとき、先生はすごく背が高いのに私と目が合うようにひざまずいて、私の話に耳を傾けてくれたんです。ムクウェゲ先生は、人を完全に修復してくださるのです。私のような問題を抱えている女性はたくさんいます。パンジ病院の存在は、天から天使がやってきたようなものです。先生がいなければ、多くの女性が犠牲(ぎせい)になっていたでしょう。そして私自身も、ここにいることはなかったでしょう」

ムクウェゲさんの話になるとアルフォンシーヌさんの顔が光り輝き、笑顔があふれます。病院にきて三か月間は、毎日泣いてばかりだったといいますが、ムクウェゲさんに勧められ、勉強を始めました。

アルファベットをひとつひとつ覚えることからはじめ、看護学校に入学しました。失われた少女時代を取り戻すように、必死に勉強している姿を、パンジ病院の職員たちはみんな知っています。

なぜ看護師をめざすのか、聞いてみました。

「今、私の人生が普通になっていくのを感じます。ムクウェゲ先生は私を救ってくれた。先生の愛を今度はほかの人に分け与えたいのです。先生も言っていました。「ほかの人を助けてあげなさい。ほかの人にも勇気を分け与えてあげなさい」と。私は看護師になって、同じ経験をした女性たちを助け、愛を分け与えたいのです」

人生を歩みなおす手助けを：ムアヴィータさん（五二歳）

ムアヴィータさんは数年前、隣国ルワンダからきた武装勢力に襲われました。彼女の村もまた、金（きん）がたくさん採れるので武装勢力が姿を見せるのだといいます。

「夫はその場で殺されました。私は森に連れて行かれ、レイプされました。一人目がきて、二人目がきました。三人目にレイプされたとき、私は気を失いました。子どもたちは、父親を殺され、母親をレイプされ、とてもショックを受けていました」

ムアヴィータさん

このとき、武装勢力は、村人六八〇人を殺害しました。妊娠している女性はおなかを切られて子どもを取り出されてしまいました。

険(けわ)しい表情のまま、ここまで一気に話すと、ムアヴィータさんは手元にあった飲み物を一気に飲み干しました。当たり前ですが、こんな話を思い出して口にするのは嫌なことに決まっています。私は、しばらく質問を続けることができませんでした。

ムアヴィータさんは二五〇キロ離れた村からパンジ病院に運ばれました。命は取り留めましたがエイズに感染していることを知りました。体には大きな痛みが残り、排尿が困難なときもあります。

ムアヴィータさんは今、治療のかたわら、パンジ病院の中で女性たちにかごのつくり方を教えています。そこで得たお金でパンジ病院のそばに小さな家を借り、三人の子どもを育てています。

彼女の夢は、パンジ病院にいる女性たちが手に職をつけ、人生を歩みなおす手助けをすることです。自分と同じような経験をした女性がいつかその経験を乗り越えられるように。そう、願っています。

終わらないレイプの連鎖：八歳の女の子

インタビューはしませんでしたが、とても印象に残っている女の子がいます。ムクウェゲさんが病院の廊下で声をかけた女の子です。

「元気？　私のかわいい子だ」

女の子の頭をいとおしそうになでるムクウェゲさん。しかし、私は女の子の顔から一切(いっさい)の表情が失われているのがとても気になりました。ムクウェゲさんは、女の子のお父さんと会話をし、その場をあとにしました。

あとで、ムクウェゲさんは悲しそうな表情を浮かべながらこんなことを教えてくれました。

「あの子は八歳ですが、レイプの被害者です。そして、あの子の母親もまた、レイプの被

害者です。一緒にいた男性は、女の子の本当のお父さんではありません。しかし、妻がレイプされ、その結果生まれたあの子をわが子のようにかわいがっているのです」

そして、ムクウェゲさんは強い口調でこう続けました。

「レイプによって生まれた子どもがまたレイプされ、病院に運ばれてくるのです。私は気がつきました。根本的に問題を解決しない限り、私は永遠に女性たちの治療を繰り返さなくてはならないということに」

「女性にとって世界最悪の場所」で起きていること

ここで紹介した女性たちの体験談は、コンゴ東部で起きていることのほんの一例にすぎません。コンゴ東部で武装勢力による性暴力の被害にあった人は四〇万人以上とも言われています。そのため、この地域は「女性にとって世界最悪の場所」ともよばれています。

四〇万人、と簡単に言ってしまいますが、当然ながら四〇万人の女性一人ひとりにかけがえのない人生があります。一人として同じ人がいないように、武装勢力によってもたらされた被害も、壊されてしまった人生も、四〇万通りあります。

また、被害にあっているのは女性ばかりではありません。ごく少数ではあるものの、男性もまた、レイプの被害にあっています。

コンゴ東部で残虐な性暴力が始まったのは、一九九八年に第二次コンゴ紛争（第三章でくわしくお話しします）が始まってからだとムクウェゲさんは言います。

さきほど紹介したエステールさんなど、女性たちの証言にあるように、武装勢力が金などの鉱山がある村を支配し、鉱物資源を奪い取るために、「紛争の武器」として性暴力を使い始めたのです。しかし、なぜ村を支配するためにわざわざ「レイプ」という手段を使うのでしょうか？　ムクウェゲさんに聞いてみました。

「私もそれを自問しました。レイプは屈辱的な行為であり、武装勢力が住民に力を見せつけるために行われるのです。レイプの残忍さを見ると、性的な欲望を満たすために行われたのではないことがわかります。女性に対して野蛮な行為をすればそれを見た夫、子どもも辱めを受けるのです。そうやって武装勢力は住民を支配するのです。レイプは、住民を支配し、屈辱を与えるための武器なのです。人々に、考えうる限り最も深刻なトラウマを与えるためにレイプするのです。そして、人々を支配するのです」

ムクウェゲさんは、武装勢力が行うレイプは、性的欲求のはけ口ではなく、人々に恐怖心を植えつけ、支配するためだと説明しました。

コンゴでは家事や子育て、畑仕事などを主に女性が担っています。女性が、家庭や村のコミュニティの中で中心的な役割を果たしているのです。その女性をねらい、恐怖心を植えつけることで、武装勢力は家庭やコミュニティを支配し、崩壊させるのです。

コンゴの紛争は今もなお続いています。武装勢力は女性たちに暴力を振るうことで鉱山を支配し、鉱物資源を違法に採掘し、密輸し、その利益が紛争を続ける資金源となっています。紛争と女性たちへの性暴力は深く結びついているのです。

このような、日本で暮らす私たちの想像を絶する環境で女性を救い続けてきた医師のムクウェゲさんとはどのような人なのでしょうか？　次の章ではムクウェゲさんとパンジ病院についてお話しします。

コラム1 ❖ パンジ病院があるブカブ市の様子

ムクウェゲさんのパンジ病院がある街、ブカブはキブ湖という湖のほとりにあります。キブ湖は、朝は深い青、夕方にはすみれ色にその表情を変えます。私（立山）はキブ湖をボートで渡ってブカブを訪れたのですが、湖から見るコンゴの大地は緑の森と赤土が美しいコントラストを描いていて、この地が多くの雨に恵まれた豊かな土地だということがわかります。実際、コンゴ東部は「アフリカのパンかご」といわれるほど、農業生産に適した土地だということです（写真1-1）。

しかし、ボートを降りるとその様相は一変します。道路は舗装されておらず、泥だらけのでこぼこ道が続きます。電気が足りないせいか、信号は止まったまま。たまに舗装された道路があったとしてもアスファルトが流され、穴だらけ。路上には、長く続く紛争に疲れ切っているのか、生気のない顔で物を売る女性の姿が目立ちます（写真1-2）。

穴だらけの悪路に揺られていると、ムクウェゲさんの言葉が頭によみがえってきました。

写真 1-1　キブ湖から見た街(撮影：立山芽以子)

「この国の富はどこへ行った?」

金にダイヤモンド、レアメタル……。世界有数の鉱物資源がコンゴ人の足元には埋まっています。なのに人々は貧しく、道路などの街の基本的な設備すら整っていません。コンゴの大地から生み出される富の多くが、国民の前を素通りして、国外に持ち出されているからです。

ムクウェゲさんはコンゴを「窓に鍵がかかっていない宝石店」と表現しています。

「コンゴは窓にもドアにも鍵がかかっていない、警備員もいない宝石店です。誰でも入ってきて、宝石を奪い、人を殺し、レイプし、しかも罰を受けることなく出ていけるのです。あなたは道路や病院、水道、電気など、すべてが不足していることに気がついたでしょう。豊かな資源があるにもかかわらず、人々は貧困の中で生きているのです」

その具体例としてムクウェゲさんは、最近ケニアのナイロビで、コンゴから持ち出された金塊四トンが押収されたことを教えてくれました。

このたとえ話、「宝石店」はコンゴ、「ドアと警備員」は政府、と考えるとわかりやすいかもしれません。コンゴ政府は自分の国の資源を正しく使い、国民にその富を還元する、という役目を果たしていない。ムクウェゲさんはそう言いたかったのです。

写真 1-2　ブカブ市内の様子（撮影：立山芽以子）

街で出会ったある女性は「大きな魚が小さな魚

を食べている」と表現しました。政府の高官が汚職をし、庶民を苦しめているという意味です。富の流出にはコンゴの政府高官もかかわっているという指摘もあります。コンゴの人たちが自分の国の富を自分たちのために使えるように、国際社会が働きかけをしていくことも必要だと考えます。

第2章

「女性にとって世界最悪の場所」にある病院

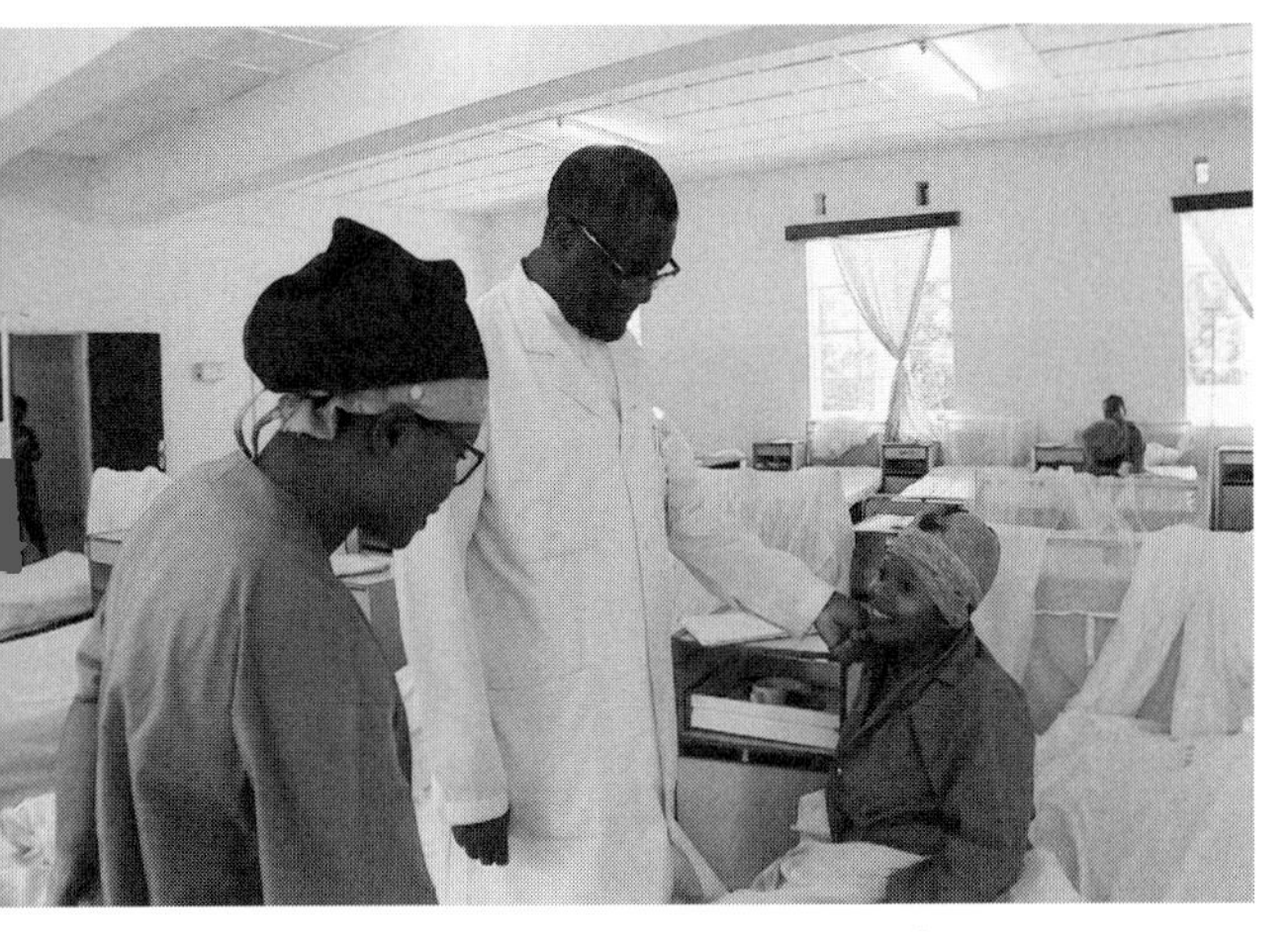

回診するムクウェゲさん。映画『ムクウェゲ「女性にとって世界最悪の場所」で闘う医師』より ©TBS テレビ

コンゴ東部の町ブカブ。ここにムクウェゲさんが運営するパンジ病院があります。

私(立山)がパンジ病院を訪れたのは二〇一八年秋のことでした。成田空港からエチオピアの首都アディスアベバに行き、そこで飛行機を乗り継いでコンゴのゴマという都市に向かいました。ゴマに到着するのは夕方になってしまうので、ゴマで一泊しました。翌日、ゴマからボートでキブ湖という大きな湖を南下すること三時間。パンジ病院のあるブカブに到着しました。日本を出国してほぼ三日間の旅路です。美しい湖を風に吹かれて渡っていると、こんなに美しい国でなぜ悲劇が起きるのか、こんなに緑豊かな大地で人々はなぜ貧しいのか、そんな思いが湧(わ)き上がってきました。

ムクウェゲさんが建てたパンジ病院

パンジ病院は、一九九九年にムクウェゲさんが建てた病院です。ここには武装勢力などによってレイプされた女性たちが年間二五〇〇人から三〇〇〇人も運ばれてきます。しかしこの病院はレイプの被害にあった女性の専用病院ではありません。内科や眼科など普通の診療も行っていて、骨折から癌まで、これまでに五〇万人以上を治療してきました。パンジ病院で出産する女性も多く、年間三五〇人の赤ちゃんが生まれています。そのため、病院の一階は診察を待つたくさんの患者さんで毎日ごった返しています。

ムクウェゲさんがパンジ病院を建てたのは、第二次コンゴ紛争が始まった直後でした。人々に希望を与えようと紛争中でもあえて開業したそうです。パンジ地区に土地を購入したものの、建物の建設には三年がかかり、最初は残っていた古い建物を改修して診察室にしていました。ムクウェゲさんはアフリカ中部ペンテコステ派教会共同体というキリスト教の組織の医師として雇われ、病院の建設費用はスウェーデンの政府とNGO(非政府組織)が出資してくれました。

その後、ムクウェゲさんの活動に賛同する人が増えて、医師、看護師、心理カウンセラー、弁護士、病院職員などの人数がどんどん増えました。アメリカやヨーロッパを中心に支援団体も増え、パンジ病院は今や南キブ州の重要な拠点病院になっています。

パンジ病院での女性たちのケア

私が訪れた二〇一八年には、三七四人の病院職員がいて、パンジ病院で暮らす女性患者が二〇〇人ほどいました。レイプの被害にあった女性たちの病室は二階にありました。明るく開放的な病室にはたくさんのベッドが並び、手術を待つ多くの女性が思い思いの姿で休んでいました。おしゃべりをする人は誰もいません。一階の混雑ぶりとは対照的な、その静けさが印象に残りました。ここにいる女性たちはレイプによって傷ついてしまった膣(ちつ)や尿道、内臓を手術によって縫い合わせる必要があるのだといいます。女性たちの中には、レイプのあとで膣を銃で撃たれたり、棒などを入れられたりした人もいるそうです。何回も手術を繰り返さなくてはならないほど、ひどく傷ついた女性がたくさんいます。

パンジ病院では、四つのやり方で女性たちのケアをしています。

ひとつ目は、医師による医療的なケアです。レイプ被害のケアに手術が必要とは、イメージしにくいかもしれません。ですが、前述のように残忍なレイプは女性たちの体をひどく傷つけてしまうため、まずは体の治療が必要なのです。

二つ目は、心理的なケアです。レイプは女性たちの心に深い傷を残します。尊厳が傷つけられ、家族や村の人たちから見放されてしまうこともあります。そのため、女性たちは心理カウンセリングを受けたり、音楽療法に参加したりすることで、レイプによって傷つけられた心を治療します。空手道場もあります。大きな声を出して体を動かすことによって、自信をつけたり気持ちを発散したりする効果があるそうです。

三つ目は、レイプ加害者を訴えるための法律相談です。コンゴの法律でもレイプは犯罪ですが、紛争によって国家の秩序が崩壊しているため、警察がレイプの犯人を捕まえることができません。レイプ犯が野放しになったままでは、女性たちは安心して暮らすことができません。そこで、犯人を見つけて裁判にかけるための手続きを弁護士がサポートするのです。

四つ目は、女性たちが手に職をつけて社会的に自立できるようにするための職業訓練です。レイプされた女性たちは汚れた存在とみなされて家族や村の人たちから見放されてしまうことがあります。そうした女性たちが洋裁や石鹸づくり、かごづくりなどの技術を身につけることで、自分自身で生計を立てることができるように訓練をします（写真2-1）。

写真 2-1　洋裁を習う女性たち。映画『ムクウェゲ「女性にとって世界最悪の場所」で闘う医師』より ©TBS テレビ

ケアを受ける女性たちはみな、「パンジ病院に来ることができて幸せだ」といいます。女性たちの多くは、数百キロ離れた村から病院に運び込まれます。来る途中で命を落としてしまう人もいるし、病院に来る交通手段がなく、治療を受けられない人もたくさんいます。そもそもパンジ病院の存在を知らない人もたくさんいるといいます。

ムクウェゲさんは今、パンジ病院の四つの機能(体の治療、心の治療、法律相談、社会的自立を助ける職業訓練)をひとつにまとめた「ワンストップセンター」をたくさんの地域につくろうとしています。そうすれば、わざわざ遠路はるばるパンジ病院まで来なくても、近くの「ワンストップセンター」でケアを受けることができるからです。

ムクウェゲさんが医師になったわけ

多くのレイプ被害者の救済に力を尽くしているムクウェゲさんですが、はじめからレイプ被害者のために病院を設立したわけではありませんでした。ムクウェゲさんが婦人科の医師になり、パンジ病院を設立したのは、女性たちが安全に出産できる環境を整え、出産で命を落とす女性を減らすためでした。ムクウェゲさんが医師になったわけ、そしてレイプ被害者を救うようになったわけを見ていきましょう。

ムクウェゲさんが医師になろうと決心したのは八歳のときでした。ムクウェゲさんのお父さんはキリスト教の牧師でした。受け持ちの教会を運営するだけではなく病院や刑務所にも通い、人々のそばに寄り添い、人々を慰め(なぐさ)、人生を導くお父さんをムクウェゲさんは尊敬していました。お父さんが無料診療所や家々をまわって病人を訪ねるときに同行するのが好きでした。ですが、牧師は病人に助けを求められても、食事をあげたり祈りを捧げ(ささ)たりするだけで、薬をあげることができません。あるとき、病気で苦しむ少年に薬をあげられないお父さんの姿を見たムクウェゲさんは、自分は「薬をあげる人になる」と決心しました。

ムクウェゲさんはコンゴの学校を卒業したあと、隣国のブルンジとフランスの大学で医学を学び、婦人科の医師になりました。医療が行き届いていないアフリカでは、医師や助産師の手を借りず、自宅で出産する女性が多くいます。そのため、胎児が産道に詰まってしまったり、難産で大量に出血したり、膣に穴が開いてしまうなど、出産による深刻な問題が起きています。出産の結果、命を落としたり、体に障害を抱えるようになったりする女性がたくさんいます。ムクウェゲさんはアフリカの女性たちが安全に出産できるように婦人科医の道を選びました。

医師になり、病院を建てるまでの道のりには大変な困難がありました。一九九六年には第一次コンゴ紛争が始まり、ムクウェゲさんが最初に勤めていたレメラという町の病院が武装勢力に襲撃されたこともありました。一九九八年には第二次コンゴ紛争が始まりました。それでもムクウェゲさんは、治療を必要とする人のために粗末な小屋のような建物でパンジ病院を開業しました。

ところが、いざ病院を開業すると、最初に運ばれてきた患者はレイプの被害者でした。その後も、毎日多くのレイプ被害者が運ばれてくる様子を見て、ムクウェゲさんはコンゴ東部で性暴力が紛争の武器として使われていることに気がついたのです。

それから二十数年の間に、パンジ病院では八万五〇〇〇人を超えるレイプ被害者を治療してきました。さらにムクウェゲさんは、コンゴ東部で起きている紛争と性暴力の問題を国際社会に訴えました。どんなに治療をしても、紛争が終わり、武装勢力がいなくならない限り、女性へのレイプは終わりません。紛争を終わらせるためにコンゴ政府や国際社会が力を尽くしてくれるよう、ムクウェゲさんはアメリカやヨーロッパのさまざまな場所で講演して、人々に訴えかけました。そして、二〇〇八年の国際連合(国連)人権賞を皮切りに、スウェーデンのオロフ・パルメ賞、アメリカのクリントン・グローバル・シチズン賞、フランスのジャック・シラク財団賞、スウェーデンのライト・ライブリフッド賞、欧州議会のサハロフ賞を受賞し、二〇一八年にノーベル平和賞を受賞しました。

パンジ病院には、アフリカやヨーロッパの各地からムクウェゲさんの活動を知った医療関係者が集まり、アメリカやヨーロッパの支援団体が寄付をしてくれるようになりました。そうしてパンジ病院は大きく発展したのです。

ムクウェゲさんのある一日

「この日は私が手術をする日だから、一日私についていらっしゃい」

パンジ病院を訪問した私にムクウェゲさんはスケジュール帳を見ながら提案してくれました。

朝九時。ムクウェゲさんは病院の運営会議に出席します。数時間にわたる長い会議です。会議が終わるとそのまま手術室へ。

この日、手術を受けていたのは六一歳の女性でした。ムクウェゲさんは、手術を担当する若い医師や看護師たちに、お手本を見せながら進めています。

「そんな鋏(はさみ)の持ち方じゃダメですよ」

「ここはこうやって綴(と)じるんです」

「そして交差させて……わかった？」

手術の時間は、若い医師たちに技術を教える時間にもなっているようです。

手術室から出てくるなりムクウェゲさんはこう言いました。「さあ、これでOKです。あの女性はなんとか命を「修復」することができました」

そのとき、隣の部屋から元気な赤ちゃんの声が聞こえてきました。レイプ被害者の手術が行われている隣の部屋ではごく普通に出産が行われていました。

手術が終わると女性たちの病室へ行き、一人ひとりに声をかけながら診察します。女性たちは自分の症状や悩みをムクウェゲさんに打ち明けます。ムクウェゲさんは看護師と冗談を言い合ったりしながらとてもリラックスした様子で病室を回ります。

ムクウェゲさんはお昼ごはんを食べません。健康のため、一日二食と決めているそうです。ムクウェゲさんが廊下(ろうか)を歩いていると、病院の職員が相談事を持ちかけてきました。どうやら待遇(たいぐう)をめぐる相談のようです。こうした相談にもひとつひとつていねいに応じていました。

午後はパンジ病院の隣にある医科大学で会議です。この日はどの学生に奨学金を与えるかの審査を行いました。ときどき、授業もするそうです。

大学から病院へ戻ると、世界中から面会を求めるお客様が待っていました。私がパンジ病院を訪れたのはノーベル平和賞受賞が決まった直後だったため、各国大使館からの表敬訪問や世界中のＮＧＯなどから寄付や援助の申し入れが相次いでいました。もちろん取材もです。そのひとつひとつに、ていねいに対応していくムクウェゲさん。

「いったいいつ休むんですか？」

思わずたずねると笑いながらこう返しました。

「日本人ほどは働きませんよ。日本に行って知りましたが、日本人は私の一〇倍働いています」

このように、大変忙しくはあるものの、ごく普通のお医者さんのような日常を過ごしているムクウェゲさんですが、ひとつだけ違うことがあります。それは、常に銃を持ったボディガードがつき添い、周囲に目を光らせていることです。ムクウェゲさんは、命をねらわれているのです。

写真 2-2　国連の兵士に守られるムクウェゲさん（映画『女を修理する男』より）

命をねらわれるムクウェゲさん

ムクウェゲさんは今、家族とともにパンジ病院の敷地内で、国連平和維持活動（ＰＫＯ）の部隊に守られながら暮らしています（写真2-2）。ムクウェゲさんがねらわれる理由は、女性たちの被害を世界に向けて訴え、コンゴ東部に正義と平和をもたらすように求めているからです。

実際、二〇一二年には武装した男たちに襲われ、その場に居合わせた友人が殺されてしまいました。ムクウェゲさんは友人を失ったショックに耐え切れず、一時ヨーロッパに避難しました。しかし、一年ほどでまたコンゴに戻ってきました。その理由を聞いてみました。

「コンゴの女性たちが私にここにいてほしいと強く望んだのです。女性たちは言ったのです。「あなたが必要です。もし、国や国連が何もしてくれないのなら私たちがあなたを守ってあげる」と。村の女性たちは、武器は持っていないけれど、勇気を持っていました。私には、コンゴに戻らないという選択肢はなかったのです」

女性たちはムクウェゲさんの帰国費用の足しになるようにと、わずかな稼ぎの中からお金を寄付することさえしました。

「本当に心を打たれました。女性たちに比べたら私は小さい存在です。私はコンゴの女性たちのパワーが大好きです。女性たちは私を必要としているのです。そして、私はいつも彼女たちとともにあるのです」

しかし、その後もムクウェゲさんの苦難は続きます。ムクウェゲさんの活動を描いた映画『女を修理する男』(二〇一五年、ベルギーで制作)では、ムクウェゲさんがこんな出来事を語るシーンが出てきます。

二〇一二年、ニューヨークで開催された国連の総会での出来事です。ムクウェゲさんは総会でコンゴの女性たちについてスピーチを行う予定でした。ところが直前になってコンゴの保健大臣から呼び出され、こう告げられたのです。

「明日のスピーチを中止しなさい。発言すればあなたの身に危険が及ぶことになる」

ムクウェゲさんは、コンゴに残してきた家族のことを考えました。あまりに危険が大きすぎます。結局、スピーチをやめて帰国しました。

このエピソードから、コンゴ政府もまた、ムクウェゲさんをやっかいな存在とみなしていることがわかります。コンゴ政府は東部を統治することができず、武装勢力の暴力を止めることができていません。住民が殺害され、女性たちが性暴力にあっても、犯人を逮捕(たいほ)したり、被害者を救済したりすることができていません。ムクウェゲさんが国連や世界各地でコンゴ東部の性暴力の問題を訴えることは、そうしたコンゴの問題を国際社会に知らせることになります。コンゴ政府はムクウェゲさんにスピーチをしてほしくなかったのです。

なぜ、コンゴの紛争は終わらないのでしょうか。なぜ、コンゴ政府は東部を統治することができないのでしょうか。第三章と第四章では、コンゴという国が抱える問題と、コンゴを取り巻く国際社会の問題をくわしく見ていきます。

コラム2 ❖ 女性たちの工場プロジェクト

二〇二二年の春に、開発途上国の経済発展や工業の支援をする国連工業開発機関（UNIDO）が、パンジ病院を支援するパンジ財団の敷地に工場を建てて、サトウキビからアルコール消毒剤を製造するプロジェクトを始めました。

サトウキビは、砂糖の原料として日本の沖縄などでも栽培されている農作物です。パンジ病院がある南キブ州でもたくさん栽培されていて、汁をしぼってジュースをつくったり、砂糖に加工したりして家庭で利用されています。

もし地域に砂糖の工場があれば、たくさん採れるサトウキビから砂糖を製造してほかの地域で販売したり、外国に輸出したりして人々の収入につなげられるでしょう。ですが、南キブ州の砂糖工場は一九九六年にコンゴ紛争が始まったときに閉鎖したまま、再開されていませんでした。

そんな中、二〇二〇年に世界中を襲った新型コロナウイルス感染症の流行でアルコール消毒剤の需要が急激に高まり、パンジ病院で使う消毒剤が不足するという問題が起きました。

そこでUNIDOとパンジ財団は、サトウキビを原料としてアルコール消毒剤を製造する工場を建てるプロジェクトを考案したのです。

サトウキビの汁をしぼって加熱したあと、不純物を取り除いて、酵母を混ぜて発酵させることで、アルコール消毒剤をつくることができます。この作業ならば、パンジ病院で治療を受けている女性たちや地域の女性たちが中心となって工場を運営することが可能です。

また、コンゴでのサトウキビの栽培は、働き者の女性たちが中心になっています。工場が原料のサトウキビを地域の農家から購入すれば、女性たちの収入を増やすことができます。

さらに、UNIDOは工場で働く女性たちがお金を上手に貯めたり運用したりするための「グループ貯蓄・貸付トレーニング」を行いました。たとえば、少額のお金を元手にして農家からサトウキビを購入し、市場に運んで少しだけ高く売って利益を得ます。その利益を元手にして前より少し多くのサトウキビを購入して……、というように収入を増やす方法を学ぶのです。

本書を書いている二〇二四年の春にはまだ工場が完成していないのですが、グループ貯蓄・貸付トレーニングは先に始まり、三〇〇名の女性たちがトレーニングを受けました。おかげで、多くの女性たちが収入を増やすことに成功し、子どもたちにより豊かな食事を食べさせたり、学校に行かせたりできるようになりました(写真2-3)。

写真2-3　グループ貯蓄・貸付トレーニングに参加する女性たち(写真提供：UNIDO)

UNIDOのプロジェクト責任者である石川明美さんは、映画『ムクウェゲ「女性にとって世界最悪の場所」で闘う医師』を観て「私にできる支援がしたい」と考え、プロジェクトを企画してくれました。地元で栽培されているサトウキビを原料とする案や工場設備の設計には、化学システムの専門家である東京大学の小原聡先生が協力してくれました。高度な技術を使わずに、地元で入手できる原料や機材を使って、手入れが簡単な工場設備にするために、小原先生が知恵をしぼってくれました。

石川さんや小原先生もまた、コンゴの問題を知って「自分にできること」を考えて行動してくれた日本の市民です。

第3章

最も豊かなのに最も貧しい国 コンゴ民主共和国

国連兵士と子どもたち（撮影：下村靖樹）

私は、この星で最も豊かな国のひとつから来ました。

しかし、私の国の人々は、世界で最も貧しいのです。

わずらわしい現実があります。

ゴールドやコルタン、コバルトといったありあまるほどの天然資源が、戦争や過激な暴力、絶望的な貧困の原因だという事実です。


私の国は、「指導者になる」と訴える人々によって組織的に略奪（りゃくだつ）されています。

彼らの権力や富、栄光のために略奪されているのです。

そういった略奪の結果として、極度の貧困にうち捨てられた罪のない男性や女性、子どもたちが数百万人もいるのです。

その一方で、私たちの鉱物から得られた利益は、一握りの貪欲（どんよく）な指導者たちのポケットに入っておしまいです。

これまでの二〇年間、私がパンジ病院で見てきたものは、機能不全に陥った国家が招いた悲惨な結末です。

デニ・ムクウェゲ　二〇一八年のノーベル平和賞受賞スピーチより
（朝日新聞社訳を一部改変）

紛争鉱物問題を研究する私（華井）がムクウェゲさんのことを知ったのは、二〇一六年のことでした。かつて国連職員としてコンゴ東部で働いていた米川正子さんから誘いを受け、彼女が設立した「コンゴの性暴力と紛争を考える会（ASVCC）」という団体の副代表になったことがきっかけでした。

ASVCCは、ムクウェゲさんの活動を描いた『女を修理する男』という映画を日本でも上映するキャンペーンをしていました。上映会に向けて開催した学生勉強会ではムクウェゲさんを日本に招きたいという声が上がりました。そして、立教大学を皮切りに全国の大学などで開催した上映会で寄付が集まり、東京大学と笹川平和財団の協力を得たことでムクウェゲさんの来日が決まりました。

ムクウェゲさんを空港で迎えたときの感動は今でもはっきりと覚えています。そして、ムクウェゲさんが「コンゴの紛争は資源をめぐる「経済戦争」なのです」と訴えるのを聞き、自分の研究がコンゴの紛争を理解するうえで重要であると再確認しました。

第三章では、ムクウェゲさんと女性たちの話をいったん離れて、なぜコンゴでは紛争が起きているのか、紛争と鉱物はどうつながっているのかを説明します。

最も自然豊かな国なのに……

アフリカ大陸の中央に位置するコンゴは、豊かな森と水、野生動物、そして鉱物に恵まれた、世界で最も自然資源が豊富な国のひとつです。アフリカで二番目に広い国土の真ん中をコンゴ川が流れているために水に恵まれ、川の流域に広がる熱帯雨林には、ヒガシローランドゴリラ、ボノボ、キタシロサイ、オカピなどの希少な野生動物が暮らしています。豊かな土壌(どじょう)は農業に適しているため、パームヤシ、綿花(めんか)、コーヒーなど、商品として世界各地に輸出する作物と、バナナ、イモ、キャッサバなど、地域の住民が食べる食料作物の両方が栽培されています。

　南部や東部には、金(きん)、銅、スズ、ダイヤモンド、コバルト、ウラニウム、タンタル、タングステン、ニオブ、マンガンなど、とても多くの種類の鉱物の鉱脈があります。もし、これらの鉱物から得られる利益が公正に分けられたら、コンゴの人々はお金持ちになっているはずです。ですが、こんなにも豊富な資源に恵まれた国でありながら、コンゴは世界で最も貧しい国のひとつなのです。

　国連開発計画(UNDP)という機関が毎年出している、人々の暮らしの水準を測る指標では、コンゴは一九一か国中一七九位という順位で、世界で最も貧しい国に数えられています(二〇二一年の数値)。一日一・九ドル以下で暮らす貧しい人々は、コンゴの人口九五〇〇万人のうち七七パーセントにのぼり、九〇パーセント以上の人々が一日三・一ドル以下で暮らしています。一ドル一二〇～一四〇円くらいと考えると、一日二〇〇円から四〇〇円くらいで衣食住をまかなわなければならないのです。このようなギリギリの生活では、けがや病気で働けなくなったらすぐに飢えてしまうこと、病院代が払えずに治療が受けられないことは想像に難(かた)くないでしょう。

コンゴでは、豊富な資源が国民の豊かさに結びついていないのです。その原因を歴史をさかのぼって見ていきましょう。巻末の年表も見ながら読んでください。

コンゴの歴史とヨーロッパとの交易、植民地化

コンゴ川流域の人々は古くから、森や川の自然資源を生かした狩猟採集や農耕を行って生活をしていました。川の下流や上流の地域にはいくつかの小さな王国もありました。

大きな変化が訪れたのは、一五世紀にヨーロッパとの交易が始まったときでした。はじめのうちはヨーロッパの文物がコンゴで歓迎され、対等な交易が行われていました。ですが、ほどなくしてヨーロッパの奴隷(どれい)商人がコンゴに来るようになりました。

ヨーロッパ人はコンゴのみならずアフリカ大陸の各地でとらえた人々をアメリカ大陸やカリブ海の島々に連れていき、砂糖や綿花の大規模農場(プランテーション)で奴隷として働かせました。人間が奴隷としてまるで商品のように売り買いされる貿易を「奴隷貿易」とよびます。奴隷貿易はコンゴのみならずアフリカ大陸の各地で行われ、アメリカとヨーロッパで

奴隷制度が廃止される一九世紀まで続きました。

　奴隷貿易が終わると、今度はヨーロッパ諸国によるアフリカの植民地化が始まります。アフリカ大陸に勝手に国境線を引き、「イギリス領」「フランス領」「ベルギー領」と決めて支配下に置きました。どこかの国や人々を勝手に誰かのものにしてしまうというのは現在の感覚ではおかしなことですが、当時のヨーロッパ諸国はアフリカ人が参加しないヨーロッパ人だけの交渉で、アフリカを「分割」して所有地にする取り決めをしてしまったのです。コンゴもまた、ベルギー国王レオポルド二世の私的所有地「コンゴ自由国」になることが一八八五年のベルリン会議で決まりました。

　ムクウェゲさんのスピーチを聞いたことのある人は、ムクウェゲさんがフランス語で話していることに気がついたかもしれません。コンゴは多言語社会ですが、ベルギーの公用語のひとつであるフランス語がコンゴの公用語になっているのは、植民地化の影響なのです。

ベルギーに支配されるコンゴ

ベルギー国王レオポルド二世の私的所有地になったコンゴから、ヨーロッパに輸出されたのは天然ゴムでした。現在、私たちが使っているゴムの多くは石油から化学的につくられた合成ゴムですが、天然ゴムはゴムの木という植物の樹皮に傷をつけて集めた樹液を固めてつくるものです。一九世紀半ばにゴムのチューブに空気を入れたタイヤが発明され、自転車や車にゴムタイヤが使われるようになったことから、ゴムの需要が一気に高まりました。

コンゴの熱帯雨林にはゴムの木が自生していたので、ベルギー国王は人々にゴムの樹液を大量に集めるよう命じました。ですが、ゴムは集めたところで食べられないので、人々は狩猟採集や農耕で食料を確保しなければなりません。あまりに大量のゴム採取のノルマを課されると人々の暮らしは苦しくなります。求められた量の樹液を集められないと見せしめに手首を切り落とされたり、女性や子どもが人質にとられて食事が与えられなかったり、ひどい搾取(さくしゅ)が行われました。そのため、病気と飢餓(きが)と暴力によって大勢のコンゴ人が命を落としました。

ひどい搾取はヨーロッパで問題として取り上げられて反対運動が起こり、レオポルド二世の支配は約二〇年で終わりました。その代わりに、コンゴは一九〇八年にベルギー王国の正式な植民地になりました。この頃には東南アジアでゴムのプランテーションが建設されたため、コンゴからのゴムの輸出は減り、今度は鉱物資源が主な輸出品になりました。

歴史を振り返ってわかることは、コンゴが長らくヨーロッパなどの先進国に資源を供給する国とされていたこと、そして、資源の輸出によって経済が成り立つ一方で住民には利益が行きわたらない、むしろ資源を得るために住民が苦しむしくみがつくり上げられてしまったということです。

植民地支配からの独立と資源に依存する経済の成立

先進国がアフリカを植民地にする政策は、第二次世界大戦の終結後に終わりに向かい、一九六〇年にはアフリカの国々が次々と独立しました。コンゴも一九六〇年に独立しましたが、すぐにコンゴ動乱とよばれる政治危機が始まり、軍の司令官だったモブツ・セセ・セコが一九六五年にクーデタで大統領に就任しました。モブツ大統領はそれから三〇年以上にわたって独裁政治を行うことになります。

モブツ大統領は国名を「ザイール共和国」と変更し、コンゴをヨーロッパの支配から解放して「ザイール人自身の国」に変える改革(ザイール化政策)を次々と行いました。その一方で、国の収入は銅などの鉱物資源の輸出に依存し、国民の生活が豊かになるための開発をあと回しにして、外国からの支援を一部の政治指導者の個人的な利益のために使ってしまいました。

このように資源の輸出に依存する経済を「資源依存型経済」とよびます。また、豊かな資源があるにもかかわらず、あるいは豊かな資源があるために農業やほかの産業が発達せずにむしろ国が貧しくなってしまうことを「資源の呪い」とよびます。資源依存型経済、資源の呪いとそれにともなう政治腐敗が、コンゴの人々が貧しいままでいる原因のひとつになっています。

植民地時代からの負の遺産は貧しさだけではありません。第一章でお話ししたような武装勢力による女性への性暴力を見聞きすると、「なぜこのような残虐(ざんぎゃく)なことをするのだろう」という疑問がわきます。かつてヨーロッパ人がコンゴの人々を奴隷として連れ去ったり、ゴムを集めるために残虐行為を行ったりしたことを考えると、ベルギー支配時代の負の記憶が今もコンゴを苦しめているのではないかと思われます。

二〇一六年にムクウェゲさんを日本に招いたときに考えを聞いてみたことがあります。ムクウェゲさんは「私たちはベルギー人によって支配され、残酷な搾取を行われ、独立したと思ったら今度はモブツ大統領の独裁によって自由な意思決定ができない状況におかれてきた。長い間このような支配の下におかれていると、自由と権利のために闘う意欲が失われてしまう。だからこそ、今のコンゴには倫理観を取り戻す教育が必要なのですよ」と語っていました。

隣国のルワンダから持ち込まれた紛争

資源依存型経済、政治腐敗、貧困という問題に加えて、コンゴには紛争もあります。ムクウェゲさんのパンジ病院はコンゴ東部のまさに紛争が起きている地域にあり、武装勢力の兵士によって行われる性暴力の被害者が日々運び込まれています。

なぜコンゴでは紛争が続いているのか、なぜ武装勢力による性暴力が行われるのか。その理由を理解するために、紛争の歴史をたどっていきましょう。

コンゴでは、一九九六―九七年の第一次コンゴ紛争と一九九八―二〇〇三年の第二次コンゴ紛争の二度、国全体と周辺国を巻き込んでの大きな紛争がありました。紛争のきっかけは、一九九四年にコンゴの隣国のルワンダで「ジェノサイド」とよばれる出来事が発生したことでした。いったんコンゴを離れて、ルワンダの歴史をお話しします。

コンゴ民主共和国と周辺国

ルワンダには、フツ、ツチ、トゥワとよばれる人々が暮らしていました。フツは主に農耕で暮らす多数の人々、ツチは主に牧畜で暮らす少数の人々、トゥワは狩猟採集で暮らすさらに少数の人々でした。

ルワンダは一九世紀末にドイツの保護領にされ、第一次世界大戦後にコンゴと同じベルギーの植民地にされました。その際、ベルギー政府はツチを政治エリート層として重用して、ツチにフツやトゥワを統治させるという形式を取りました。こうしておいた方が、植民地支配がしやすいと考えたためです。ですが、こうした差別的な扱いは多数派のフツの反発を招きます。

植民地支配から独立する直前の一九五九年に、フツが政治的支配権をツチから奪う出来事が起こり、ツチの政治エリートがルワンダから追い出されてしまいました。追い出されたツチのエリートは難民となってウガンダ、タンザニア、コンゴなどの周辺国に逃れました。ルワンダは一九六二年に独立しますが、難民として周辺国に逃れたツチの人々は帰ることができませんでした。

そして一九九〇年、アメリカとソ連による東西冷戦が終結してアフリカに「民主化の波」が押し寄せ、政治が不安定になっていた時期をねらって、ウガンダに逃れていたツチによって「ルワンダ愛国戦線(RPF)」という武装勢力が結成されました。ルワンダ愛国戦線はルワンダの政権を取り戻すためにルワンダに侵攻しました。これがルワンダ紛争です。

その一方でルワンダ国内では、フツ過激派による「ツチが政権を取り返したらフツは攻撃される。その前にツチをみな殺しにすべきだ」という扇動(せんどう)が始まります。そして一九九四年四月、フツのハビャリマナ大統領が乗った飛行機が何者かに撃墜（げきつい）されたことをきっかけとして、フツ過激派によるツチの虐殺が始まりました。

当時のルワンダ政府軍やインテラハムウェとよばれる民兵組織などが、年齢や性別に関係なくツチを虐殺し、フツの一般市民にも隣人のツチを虐殺するよう命じました。ツチの虐殺に参加しないフツ穏健派も虐殺されました。それは約一〇〇日間で八〇万人以上が虐殺されるという凄惨（せいさん）な出来事であり、「ジェノサイド」とよばれています。ジェノサイドとは、特定の集団を計画的に破壊する目的で行われる集団殺害およびそれに準ずる行為を指します。ルワンダのジェノサイドでは、ツチ女性に対する組織的な性暴力も行われました。軍や民兵の指導者がレイプを命令したり奨励（しょうれい）したりしたのです。

ジェノサイドと同時進行で、ルワンダ愛国戦線による紛争も続いていました。そして一九九四年七月、ルワンダ愛国戦線が紛争に勝利しました。ジェノサイドではフツによるツチの虐殺が行われた一方で、紛争においてはツチの武装勢力がフツの政府軍に勝利したのです。ツチによる報復を恐れたフツの人々は周辺国に逃げ出しました。

写真 3-1　避難民キャンプ(撮影：下村靖樹)

コンゴに飛び火する紛争

隣国のコンゴにも一〇〇万人を超えるルワンダ難民が流入してきました。大勢の人々が歩いて国境を越えて来る様子は、まるで人の川のようであったと言われていま す。大勢の難民を受け入れるために、コンゴ東部には難民キャンプが設置され、食料や仮の住まいとなるテントなどを提供する人道支援が行われました(参考　写真3-1、3-2)。

このとき、難民の中にはルワンダでのジェノサイドを実行したフツの旧ルワンダ政府軍兵士やインテラハムウェなどの民兵が紛れ込んでいました。こうしたジェノサイドの加害者は、ルワンダの政権を取り戻すための軍事拠点として難民キャンプを利用しました。配布される支援物資を集めて紛争のための資金源にしたり、難民キャンプやコンゴ東部にいるフツの青年を兵士としてリクルートしたりしました。

ルワンダ愛国戦線が樹立したツチの新ルワンダ政府もこの動きに対抗します。新ルワンダ政府はコンゴ東部にいるツチの青年を兵士としてリクルートして、ルワンダで訓練をしてコンゴ東部に帰らせ、フツの武装勢力と対抗させました。ルワンダでは紛争が終結した一方、紛争がコンゴ東部に飛び火していたのです。コンゴのモブツ政権はこの混乱をおさめることができませんでした。

一九九六年九月、ルワンダ軍の後方支援を受けた武装勢力「コンゴ・ザイール解放民主勢力連合(ＡＦＤＬ)」が国境を越えてコンゴへの攻撃を開始したことから、第一次コンゴ紛争が始まりました。ＡＦＤＬはルワンダ軍とウガンダ軍の支援を受けてコンゴ東部から一気に首都のキンシャサまで制圧し、一九九七年五月、モブツ政権を倒しました。そして、ＡＦＤＬの議長であったローラン・カビラ(以下、Ｌ・カビラとよびます)が新たに大統領になりました。これが第一次コンゴ紛争のあらましです。

ここで大きな問題は、武装勢力が新しいコンゴの政府になり、武装勢力のリーダーが新しい大統領になったということです。日本にも「勝てば官軍、負ければ賊軍」という言葉があるように、戦いに勝った軍が政府軍となり、正義であると見なされた例は歴史上にも多々あります。ですが、そうすると武装勢力が紛争中に行った残虐行為が裁かれなくなってしまうという問題があります。コンゴでもルワンダでも、紛争に勝った武装勢力が新政府を樹立したことから、不正義が裁かれないことになってしまいました。

L・カビラ大統領は、国名を「コンゴ民主共和国」に変えました。これで新生コンゴがスタートするはずでしたが、翌一九九八年八月、今度は新政権に対抗する紛争が発生します。きっかけは、L・カビラ大統領がコンゴへのルワンダとウガンダの影響力を排除しようとしたことでした。今度は、武装勢力をウガンダとルワンダが支援し、L・カビラ政権のコンゴ政府をアンゴラ、ジンバブウェ、スーダンなどの周辺国が支援して、まるで「アフリカ大戦」のようだと言われるほどほかの

写真 3-2　避難民キャンプ(撮影：下村靖樹)

国々を巻き込んだ大規模な紛争になりました。これが第二次コンゴ紛争です。

紛争鉱物問題の始まり

紛争の間に、コンゴ東部の豊富な鉱物資源の略奪が始まりました。武装勢力やコンゴ東部に駐留(ちゅうりゅう)したウガンダ軍やルワンダ軍の部隊が、鉱山に入り込んで勝手に鉱石を採掘したり、コンゴ人の鉱夫に採掘させたりして密輸し、武器などを購入する紛争資金として使ったのです。これが、現在にいたるまで続く「紛争鉱物問題」の始まりでした。

紛争は国際社会のさまざまな働きかけもあって、二〇〇二年末に和平合意が結ばれ、武装勢力が戦闘をやめて外国軍がコンゴから撤退し、二〇〇三年に公式には「終結」しました。この間、二〇〇一年にＬ・カビラ大統領が側近に暗殺されたため、息子のジョゼフ・カビラ（以下、Ｊ・カビラとよびます）が大統領の座を引き継ぎました。

ですが実際には、国全体を巻き込む紛争が終わっただけで、コンゴ東部にはいくつもの武装勢力が居続け、まるでマフィアのように地域を支配し、住民に暴力を振るったり、違法に鉱物の採掘や取引を行ったりしています。コンゴ東部に存在する武装勢力の数は、一二〇を超えていると言われています。

紛争の武器としての性暴力

コンゴ東部で残虐な性暴力が始まったのは、第二次コンゴ紛争が始まってからであるとムクウェゲさんは言います。武装勢力がコンゴの村々を支配し、鉱物資源を奪い取るために「紛争の武器」として性暴力を使い始めたのです。

一九九九年にムクウェゲさんがブカブにパンジ病院を建てた目的は、女性たちが出産で体を壊したり命を落としたりせず、健康な赤ちゃんを産めるようにすることでした。ですが、パンジ病院にはじめて運ばれてきた患者は、兵士五人にレイプされたうえで足を銃で撃たれた女性でした。ムクウェゲさんも看護師も衝撃を受けながら治療をしたと言います。そして、それから毎日のように、性暴力でひどい傷を受けた女性たちがパンジ病院に運ばれてきました。

「何が起きているのだろう」という疑問と恐怖の中で、ムクウェゲさんは性暴力が武装勢力による「紛争の武器」として使われていることに気がついたのでした。

コンゴ東部の紛争は、今もなお続いています。紛争の混乱に紛れて豊富な鉱物資源が違法に採掘され、密輸されて、その利益が紛争の資金源となっています。そして、紛争を続けるため、鉱物資源から利益を得るために武装勢力は女性たちをレイプし、村の人々が反抗できないようにしています。性暴力は紛争の武器になっているのです。

コラム3 ❖ コンゴと広島

ムクウェゲさんと日本のつながりについてお話ししたいと思います。

二〇一九年に日本を訪れた際、ムクウェゲさんが強く訪問を希望した場所がありました。広島です。

原爆の犠牲になった人たちの慰霊碑(いれいひ)に花輪をささげたあと、平和記念資料館を訪れたムクウェゲさんは、次のように記帳しました(写真3-3、3-4)。

「この場所で、私は完全なる恐怖を感じました。核兵器は廃絶されるべきです。人類をこのような恐怖から守らなくてはなりません」

資料館をゆっくりと見て回ったムクウェゲさんに感想を聞いてみました。

「被害の写真を見ました。本当に苦しく感じました。特に、子どもの三輪車が印象に残りました。資料館を見て、私はあることを想起しました。苦しみの連鎖です。原爆の被害を受けた人だけでなく、その子どもにまで、被害と苦しみが連鎖しています。コンゴも同じです。レイプによって生まれた子どもがまたレイプされる。自分の因果ではないことで、子どもたちも苦しんでいる」

写真 3-3　広島を訪れたムクウェゲさん
（写真提供：RITA-Congo）

実は広島とコンゴには深いつながりがあります。

一九四五年八月六日に広島に落とされた原子爆弾には、コンゴで採掘されたウランが使われていたのです。

ムクウェゲさんは言います。

「コンゴと日本はとても深いつながりがあります。広島に落とされた原爆にはコンゴのウランが使われ、現代では、コンゴの鉱物資源を日本人が使っています。すべてはつながっているのです。コンゴの女性に起きていることを「私たちには関係ない遠いこと」と考えるべきではありません。私たちには「人類を守る」という義務があります。遠くで起きていることに共感を

写真 3-4　広島を訪れたムクウェゲさん（写真提供：RITA-Congo）

持ち、他者のために行動すること。それが人類を守ることにつながるのです」

そのうえで、こう続けました。

「日本はコンゴの鉱物を使う国です。コンゴに平和をつくり出す支援をしてください。正しい方法でコンゴの鉱物を使うようにしてください。一緒に豊かなコンゴをつくりたいのです」

ムクウェゲさんには好きな日本語があります。それは「利他（りた）」という言葉です。

「他人のことを自分のことのように考える。これがまさに日本で学んだ大切にしたい社会の価値です。利他の考え方を生かさなくてはなりません。この考え方が私は大好きなんです。世界中の人に利他の考え方を持ってほしいと思います」

遠く離れた日本とコンゴですが、「世界はつながっている」こと、そこに想像力を働かせること。ムクウェゲさんが教えてくれたことのひとつです。

第4章

レイプを絶つ方法はあるの?

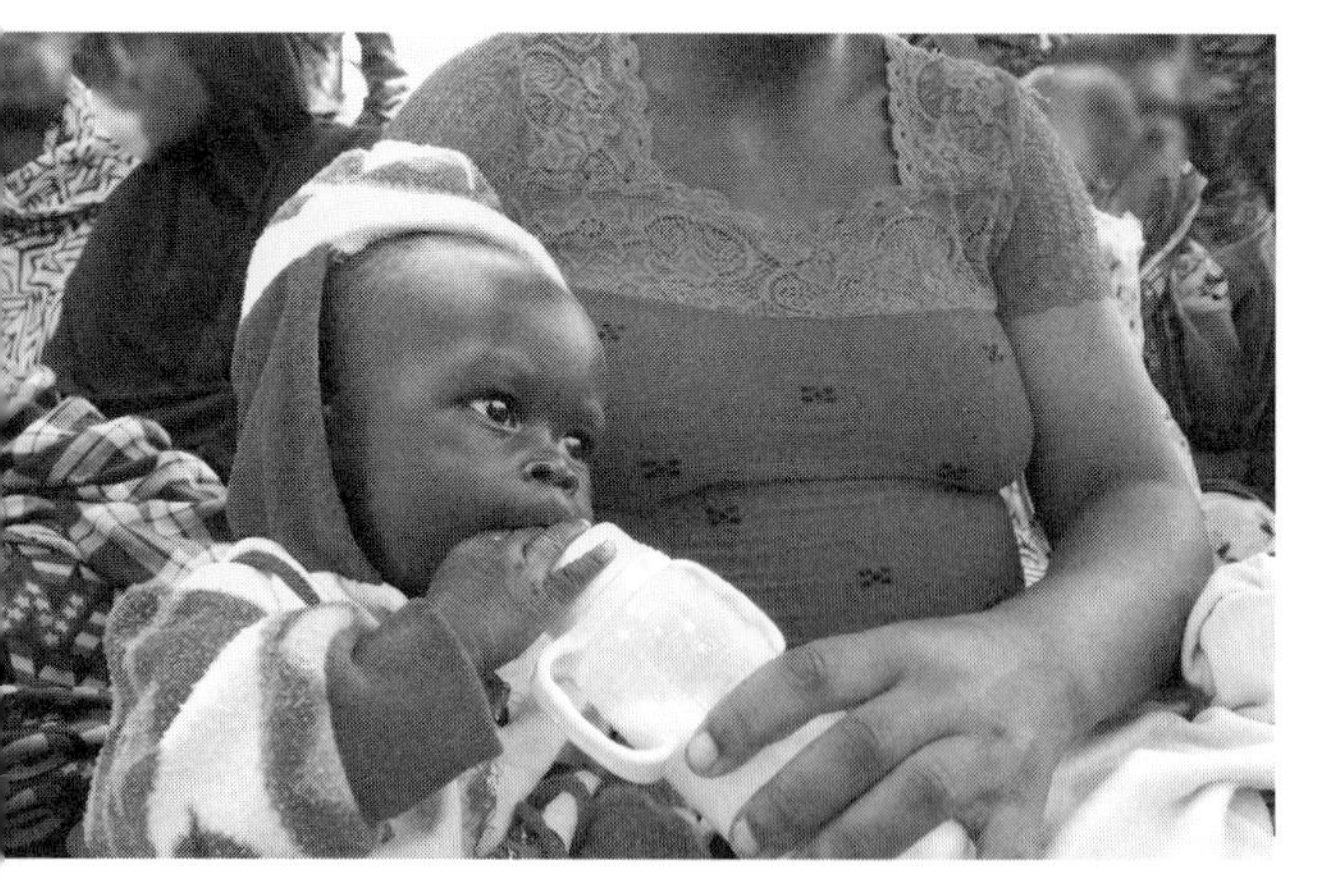

武装勢力から助け出された女性と子ども(撮影:下村靖樹)

家の仕事のほとんどは女性がこなしている。女性に暴力を振るうことは、必然的にその家族を痛めつけているのと同じだ。働き者で責任感の強い当地の女性は、家族がつつがなく暮らしていけるよう毎日心を砕いている。そんな女性を襲うことは家族全体を攻撃し、その安全を損なう行為なのだ。と同時に、夫を深く傷つける方法でもある。多くの男性にとって、凌辱（りょうじょく）された妻と暮らすことほど屈辱的なことはないのだから。村々を破壊、蹂躙（じゅうりん）するのに戦車や爆撃機は必要ない。女性をレイプするだけでいい。それによって生み出されるダメージは通常の戦闘によるものに劣らない。だから民兵や一時的に形成される小規模な武装勢力が、レイプという武器を使うのだ。

デニ・ムクウェゲ『すべては救済のために　デニ・ムクウェゲ自伝』より

「私は武装勢力の一員でした」元兵士たちの告白

「二〇〇人以上をレイプしました」

静かに語りだしたのはマオンビ・イマニさん、二六歳です（写真4-1）。

妻と三人の子どもと暮らしているイマニさんは、かつて武装勢力の一員として、女性たちに性暴力を振るってきました。なぜ武装勢力に加わったのでしょうか。

二〇〇四年のある日、イマニさんの暮らす村に武装勢力の一団がやってきました。武装勢力の男たちは村人の家畜や農作物などすべてを持ち去った上、女性をレイプしました。イマニさんの母と姉も殴られ、レイプされました。イマニさんは母と姉がレイプされる姿を見るように強制された上、武装勢力に加わるよう言われました。イマニさんは言います。

「私は好きで兵士になったわけではないんです。しかし、断ることはできませんでした」

武装勢力の一員となることを余儀なくされたイマニさん。母や姉をレイプされたにもかかわらず、なぜ自分も同じことができたのでしょうか。私（立山）の問いかけにイマニさんは複雑な心境を明かしました。

「はじめは、母や姉がレイプされたことに対する怒りや反感から、誰かに仕返しをしてやりたいという気持ちでレイプをしました。レイプをしたあと、殺す場合もあります。子どもたちも痛めつけます。自分が強い存在なんだということを示すためです。レイプという手法は、武装勢力の人たちから習いました」

写真 4-1　インタビューを受けるイマニさん。映画『ムクウェゲ「女性にとって世界最悪の場所」で闘う医師』より
©TBS テレビ

イマニさんがいた武装勢力のメンバーは四七人でした。レイプは指揮官からの命令で行われたと証言します。

「女性たちは何も悪いことはしていません。私はただ「殺せ」という軍の命令に従っただけです。命令は拒否できないんです。もし断ったら、私が指揮官からひどい暴力を振るわれます。レイプをするときは麻薬をもらうのです。それを使えば何でもできます」

イマニさんは四年間、武装勢力の一員として過ごしましたが、指揮官が死亡したため逃げ出しました。今は、女性たちに悪いことをしたと反省しているといいます。

「自分がやったことはもう考えないようにしています。母は、レイプされたことに対するトラウマが残っていて、ときどき震えたりします。姉は精神を病んでしまいました」

「今、幸せですか？」

私の問いかけにイマニさんはこう答えました。

「幸せではありません。仕事もないし、母のいるふるさとの村にも帰れません。村に帰ったら、武装勢力の一員だった私のことをみな軽蔑（けいべつ）するでしょうし、レイプした女性の家族から復讐（ふくしゅう）されるかもしれません。なので、幸せではありません」

リジィキ・ムカンバさん、二六歳。彼もまた、武装勢力の一員でした。

一七歳のとき、村にやってきた武装勢力に「兵士になるか、死ぬかどちらかを選べ」と強要され、仕方なく武装勢力に参加しました。

「四人で一人の女性をレイプしたこともありました。今だから正直に言いますが、性器に武器を入れたら、その女性は死んでしまいました」

どこか他人事のように淡々（たんたん）と自らの体験を話すムカンバさんに私は思わずたずねました。

「自分の母や姉妹、妻が同じ目にあったら、とは考えなかったのですか？」

ムカンバさんはじっと私の目を見ながら答えました。

「武装勢力の中にいると、レイプすることが義務になるのです。命令は拒否できませんでした。お年寄りでも若い女性でも、全員でレイプします。自分が楽しむためではありません。命令だからやるのです。男性もレイプします。見せしめにして罰を与えるためです」

なぜ、残酷なレイプを繰り返すのでしょうか。その理由をムカンバさんはこう説明しました。

「私たちが武装勢力であることを住民に見せつけるためです。私たちが支配する鉱山を守るために、私たち以外の人がその地域に入ってこられないようにするためです」

今は、妻と子どもたちと暮らすムカンバさん。自分の行いを後悔しているといいます。

「今、自分がレイプした女性に出会ったらとても恥ずかしいと思います。たぶん、妻や娘をレイプされた男たちは、ショックを受けていると思います。女性の家族は私がしたことにより、不幸せになったと思います。自分の母や妻がレイプされたら私は心底怒ります。しかし、わかってください。私はまともな状態ではなかったのです。女性たちに謝りたいですが、女性の家族に捕まって復讐されてしまうかもしれないので謝りにもいけません」

「あなたは今、幸せですか?」

同じ問いかけをムカンバさんにもしてみました。

「武装勢力の一員として森を駆け回っているわけではないので、今は幸せです。しかし仕事はありません。武装勢力に入る前は学校に行っていました。今の願いは仕事をするか、学校に行くことです」

イマニさんもムカンバさんも望んで兵士になったわけではありません。本当は学校に行き、仕事をし、家族と普通の人生を送りたかったに違いありません。彼らの犯した罪は決して許されるものではありません。しかし、彼らは加害者であると同時に、被害者でもある。話を聞いて、そんなことを思いました。

ムカンバさんの話には続きがあります。ムカンバさんは数年前、コンゴ政府軍に逮捕され刑務所に送られました。一一人を殺し、二〇〇人以上の女性をレイプしたムカンバさんの刑期は五年でした。

「逮捕されたことで、ようやく武装勢力から抜け出すことができてホッとしました」というムカンバさん。しかし、家族が刑務所の所長にお金を渡し、たった四か月で刑務所から出てきてしまいました。

「お金を渡して刑務所から出してもらうのは、コンゴではよくあることなんです。いくら払ったかは知りませんが、四か月で出所できた私は、運がよかった」とムカンバさんは語りました。

機能しない国家

私たちは日本という「国」に暮らしています。「国」はさまざまな法律や制度を通じて人々の暮らしを守り、社会活動を円滑(えんかつ)にする役割を果たしています。税金を徴収するのも政府の仕事です。集めたお金でみんなが等しく学校や病院に行けるようにしたり、道路や橋を整備したりします。悪いことをした人を逮捕して罰したり、国民の権利を守ったりする「司法」の役割も担っています。

日本にいるとこれらのことがあまりに当たり前すぎて、「国」について深く考えることはないかもしれませんが、コンゴでは「国」とは何か、と考えさせられる出来事がたくさん起きています。

さきほど紹介した元武装勢力の男性たちは、本人たちが認めている通りいずれもきちんとした処罰を受けていません。日本だったら人を殺したり、女性をレイプしたりしたら、逮捕され、裁判にかけられ、有罪になれば刑務所に入れられます。しかし、元兵士のムカンバさんは、「お金を払って刑務所から出てきました。これはコンゴではよくあることです」と証言しています。

コンゴ、特にコンゴ東部では、「国」の統治能力が弱く、「法の秩序」「国家による処罰」が機能していないことが女性たちに対するレイプが終わらない原因のひとつと考えられています。

ムクウェゲさんも、レイプがなくならない理由のひとつに、加害者がきちんと処罰されないことを挙げています。

「不処罰が当然になっています。大規模なレイプは本来罰せられなくてはなりませんが、処罰はありません。有力な政治家にも武装勢力の出身者がいます。武装勢力の責任者が処罰されるどころか、軍や政府の中で出世しているという事実さえあります。コンゴは無法地帯なのです」

失われた倫理観——国が機能しないと何が起きるの？

もうひとつ、国が果たす役割で重要なのは「教育」です。日本では当然のように子どもは学校に行き、国語や算数といった学課だけでなく、集団生活の仕方や社会のしくみについても学びます。しかし、コンゴではそれが十分に行われていません。

ムクウェゲさんは言います。

「三〇年以上にわたりこの国では繰り返し紛争が起きています。一九九〇年代から二〇〇〇年代にかけて「子ども兵士」として武装勢力に組み込まれた子どもたちが今、大人になり、社会の中心にいます。子どものころから殺人や略奪、レイプなどを行い、処罰されなかった人たちが今、大人になっているのです」

また、元兵士の社会復帰を支援しているNGOの女性はこんな例を紹介してくれました。

「子どもたちの間でレイプをまねすることが流行っています。つまり大人がやるのを見て、「これは悪いことではない」と受け止めてしまうのです。さらにレイプをしても処罰されない、ということも子どもたちは知っています。なので、レイプをまねするようになるのです」

殺人や略奪、レイプをする大人を見て育ち、自分でもそれに手を染めた子どもたちが大人になったら社会はどうなるのでしょうか。それが悪いことだとは思わず、当たり前のように自分も同じことを行うようになってしまうでしょう。

ムクウェゲさんはよく「コンゴには倫理観がない」と口にします。長く続く紛争によって子どもたちは学校に行く機会を奪われ、善悪の区別を学ぶ機会もないまま大人になります。その結果、社会秩序が失われてしまうのです。そのため、殺人を犯しても罪とは思わず、刑務所の所長にお金を渡すことを悪いとも思わない社会になってしまうのです。日本では当たり前のようにできていることが、コンゴではできていないのです。

ムクウェゲさんは言います。

「この国を見てください。道路は穴だらけ、電気は不足し、学校も病院もありません。あるのは無秩序です。そしてそれをつくったのはコンゴ政府なのです」

もし紛争が終わっても、国の再建を担う大人たちが、善悪の区別を学んでこなかったとしたらどうなるのでしょうか。国の再建は、ただ壊れた建物や道路などの設備をつくり直すことだけではありません。行政や司法が機能し、正しい社会秩序を回復すること。子どもたちに教育を行い、正しい倫理観を教えること。国家を再建するには「人の心の再建」が何よりも重要なのだとコンゴの社会を見て思います。

犯罪者を警察が捕まえない国

パンジ病院には、法律相談所があります。なぜ、病院に法律相談所が必要なのでしょうか？

相談所で働く弁護士のイベットさんが説明してくれました。

「きちんとした国家なら、国がレイプした犯人を逮捕するでしょう。しかし、コンゴは違うのです。警察は機能せず、罪を犯した人が野放しになっています。そして、今日にいたるまで、コンゴ政府は数千人にも及ぶレイプの被害者に対して、裁判を開いていません。守られるべき女性の人権が守られていないのです」

この法律相談所では、警察に代わりレイプした犯人を捕まえています。また、妻がレイプされたのを見た夫が、妻を捨てて家を出ていってしまうケースもあるといいます。その場合夫を探し出し、妻を養うよう説得したり、本来は妻のものである土地や財産の権利を回復する手伝いをしているといいます。

イベットさんは言います。

「正義があってこそ平和があるのです。コンゴには司法が必要なのです」

コンゴで正義を実現するために、国連人権高等弁務官事務所(OHCHR)という組織が、二〇一〇年に「マッピング・レポート」とよばれる報告書を作成、公開しました。国連の専門家が、一九九三年から二〇〇三年にかけてコンゴで行われた深刻な人権侵害や戦争犯罪を調査してまとめた報告書です。六一七件に及ぶ犯罪が列挙されています。その中には、ムクウェゲさんが医師になってコンゴで最初に勤めたレメラの病院が、武装勢力に襲撃された事件も含まれていました。三〇〇頁（ページ）を超えるくわしい報告をしたうえで、国連の専門家は、戦争犯罪を裁くための特別な裁判所や、紛争中に起きたことを明らかにして加害者と被害者が和解するための「真実和解委員会」を設立することを推奨（すいしょう）しました。ですが、残念ながらマッピング・レポートの中身はほとんど議論されないままに放置されています。

ムクウェゲさんはこう訴えています。

「この報告書を検討せずして、世界は何を待っているのでしょうか？　正義なくして永続的な平和は存在しません。コンゴ民主共和国やその周辺国で何が起こっているのか、注意深く公平な目で見る勇気を持ってください。広がり続ける災厄（さいやく）を食い止めるため、人道に対する罪を犯した者の名前を明らかにする勇気を持ってください。私たちの過去のあやまちに向き合う勇気を持ってください。真実を述べ、記憶し、追悼（ついとう）する勇気を持ってください」（ノーベル平和賞受賞スピーチより）

女性たちの社会復帰支援

美しく手入れされた中庭を囲むようにして、いくつもの部屋が並んでいます。部屋からは女性たちの楽しげな声が聞こえてきます。

パンジ病院の中では女性たちが社会復帰できるよう、職業訓練が行われています。この日は女性たちがビニールのひもを使ったかごのつくり方を学んでいました。教えているのは、第一章で登場したレイプ被害者のムアヴィータさんです。

女性たちの間を回りながら、つくり方を教えているムアヴィータさん。

「教えるのはとても楽しいです。同じ経験をした女性たちとものを一緒につくるのはとても楽しい」と笑顔で話してくれました。

職業訓練は洋裁、革細工、刺繍（ししゅう）、石鹸（せっけん）やパンづくりなど、多岐（たき）にわたります。読み書きやパソコンの使い方を習うこともできます。すでに数千人の女性がここで学んだといいます。

この施設をつくったのはムクウェゲさんの姉、ザワディさんです。施設をつくった理由をこう説明しました。

「ムクウェゲ医師が女性たちの治療を始めた当初、治療を終えた女性たちの行き場がないことに気がついたのです。ここで学ぶのは自活への道です。女性たちの多くは夫や家族を失っています。手に職をつければ、自分の力で生きて、子どもを育てていくことができます」

さらに、ザワディさんは、女性たちが職業訓練を受けるもうひとつの意味についても話してくれました。

「レイプされた女性は傷ついて自信を失っています。でも手に職があれば自信をつけることができます。新しい人生が開けるのです。彼女たちには勇気を失うことなく、未来を向いて歩いてほしいのです。女性たちの中には洋裁や刺繡が苦手な人もいます。その人はパンやお菓子をつくります。それぞれの女性が、自分にできることを探すのです。そして「私は価値がある人間だ」と感じてほしいのです」

手に職をつけることで、経済的自立を果たすだけでなく「私は社会にとって価値のある人間なんだ」「私にもできることがある」という自信を取り戻してほしい。職業訓練施設にはそんな願いが込められています。

とりわけ大きな声が聞こえてくる部屋を訪ねました。そこでは女性たちが空手の練習をしていました。第一章で紹介したエステールさんも笑顔で参加しています(写真4-2)。

「空手をやると、力が湧いてくるの。気持ちがすっきりするんです。私は、前よりも強くなったと思います」

パンジ病院では、女性たちが空手やサッカーをする時間があります。体を動かし、大きな声を出すことで心の傷をいやし、自信を取り戻す効果があるといいます。

長く続く紛争で家族や財産を失い、自身もレイプの被害にあった女性たち。女性たちに体の傷だけでなく、心の傷も乗り越え、再び前向きに人生を歩んでほしいとムクウェゲさんは願っています。

「女性が人生を取り戻すこと、それこそがこの仕事のやりがいなのです。女性たちは、悲劇を体験したにもかかわらず、それでも他人を思いやりながら生きています。私は思うので

写真4-2　空手を習う女性たち。映画『ムクウェゲ「女性にとって世界最悪の場所」で闘う医師』より ©TBSテレビ

す。もし、自分が彼女たちと同じ経験をしたとしたら、立ち直ることができるだろうか？　彼女たちのような人間性をもてるのだろうかと。コンゴが再生するのであれば、それは彼女たちの力ではないか、と思うのです」

二〇二一年、日本からパンジ病院に中古救急車と医療物資、そして空手着一三〇着と帯が寄贈されました。映画『女を修理する男』『ムクウェゲ』の上映会、ムクウェゲさんの講演会などに参加してパンジ病院の女性たちの状況を知った人々が、NPO法人RITA‐Congoを通じてパンジ病院にたくさんの寄付をしてくれました。その寄付を使って、RITA‐Congoと他団体が協力し、コンテナに積めるだけの物資を集めてパンジ病院に送りました。

日本とコンゴは遠く離れていますが、多くの人が力を合わせれば支援を届けることができます。コンテナが到着した時にパンジ病院から届いたメッセージと写真を見て、私たちはとてもうれしい気持ちになりました。次の章では、コンゴと日本のつながりについて考えます。

コラム４ ❖ ノーベル平和賞の授賞式

二〇一八年一二月、ノルウェーの首都オスロでノーベル平和賞の授賞式が行われました。私（華井）も支援者として祝賀パーティに招かれ、オスロに行きました。

クリスマス前の楽し気な雰囲気の中、オスロは街中がお祝いムードでした。

授賞イベントは前日の夜から始まります。市庁舎前の舞台で歌やトークが披露され、来賓席に座る受賞者のムクウェゲさんとナディアさんの姿がスクリーンに映し出されて、広場に集まった大勢の市民や支援者に紹介されました。

授賞式当日、式場には一部の関係者しか入れないので、ノーベル平和賞記念館のホールにモニターが用意されました。コンゴ国旗を肩にかけたり、小さな旗を振ったりするコンゴ人の姿が多く見られました。映画『女を修理する男』に登場したパンジ病院の弁護士の姿もありました。

ナディアさん、続いてムクウェゲさんのスピーチが始まるとホールは大盛り上がりです。

写真 4-3　灯火を掲げる支援者たち（撮影：華井和代）

正義を求める医師の言葉に同意の声が上がり、旗が振られます。コンゴの人々がどれだけムクウェゲさんの受賞を心待ちにしていたかが伝わってきました。

夕方には、灯火を掲げて街を行進するイベントが行われました（写真4－3）。ゴールは晩餐会会場のホテルです。支援者たちが「ナディア！」「デニ！」と名前をよぶと、二人がバルコニーに姿を現し、挨拶をしてくれました（写真4－4）。

そして夜、祝賀パーティが始まりました。大きな会場に八〇〇人が集まり、大勢のコンゴ人に加えて映画『女を修理する男』のティエリー・ミシェル監督や原作者のコレット・ブラックマン氏の姿もありました。

ステージではコンゴ人ミュージシャンやコメディアンが次々に登場し、歌やトークを披露しました。まさに「お祭り騒ぎ」でした。

ところが、長らく待ってムクウェゲさんが登場すると、会場の雰囲気は一変します。最初こそ、英雄を迎えるような盛り上がりを見せていましたが、医師がスピーチを始めると会場はしんと静まり返りました。

写真4-4　バルコニーから支援者に挨拶する二人（撮影：華井和代）

「ここに来ることができるみなさん。あなたたちは情報にアクセスできて自由に発言できる。しかし祖国で今何が起きているか思い出してほしい。もし今ここにいるみんなが本気で自分の責任を果たしたら、この状況を変えることができるのではないでしょうか」

ムクウェゲさんはスピーチの中で「責任」という言葉をくり返しました。その言葉は、会場にいた私たちの胸に響きました。

「浮かれている場合ではない。ノーベル平和賞をきっかけにコンゴに平和が実現できるかどうかは、これからの「私たち」の闘いにかかっている」そんな思いがわいてきました。

あれから四年。ノーベル平和賞によってコンゴへの国際的な関心は確かに高まりました。ですが、紛争が終わり、性暴力がなくなったわけではありません。ムクウェゲさんの闘いは今も続いています。

「私の責任は何か」「私にできることは何か」。私は今でもムクウェゲさんの言葉を思い出し、自分に問い続けています。

第5章

コンゴ・日本・世界

コンゴ東部イジュウィ島のタンタル鉱山(写真提供:PARC)

私たちは素敵な自動車、宝石、おもちゃが大好きです。

私自身、スマートフォンを持っています。

これらのものには、私たちの国で見つかった鉱物が使われています。ときには、鉱物の採掘は、子どもたちのほか、脅迫(きょうはく)や性暴力の被害者といった、非人間的な状況下にある人たちの手で行われていることがあります。

電気自動車を運転するとき、スマートフォンを使ったり、宝石に見とれたりしているとき、こういったものがつくられる際の人的な代償(だいしょう)について、少しだけ思いを巡らせてみてください。

私たちは少なくとも消費者として、こういった製品は人間の尊厳に向けられる敬意とともにつくられているのだ、ということを忘れずにいましょう。

デニ・ムクウェゲ　二〇一八年のノーベル平和賞受賞スピーチより
（朝日新聞社訳を一部改変）

第四章までは、コンゴで起きている貧困、紛争、性暴力、政治腐敗などの問題を見てきました。なぜ、豊かな森と水と鉱物に恵まれた国の人々が、こんなにも苦しい思いをしなければならないのでしょうか。その原因の一端は、日本のような世界の豊かな国にあるのです。コンゴで起きている問題が日本に暮らす私たちとどうつながっているのか、そして、問題を解決するためにどのような取り組みが行われているのかを見ていきましょう。

紛争鉱物とはどんなもの?

第三章でお話ししたように、コンゴ東部の鉱物が豊かな地域にいる武装勢力は、違法に採掘した鉱物を密輸したり、採掘者や鉱物を輸送する車両から金銭を徴収したりして資金を集め、武器を購入したり兵士の食料を調達するなど、紛争資金として利用しています。

このように、紛争の資金源として使われてしまっている鉱物を「紛争鉱物」とよびます。

コンゴ東部の豊富な鉱物が、コンゴの人々に利益をもたらすのではなく、紛争を招いてしまっているのです。そして、コンゴ東部で採掘される鉱物の多くは、日本を含む先進工業国で使われているのです。

コンゴ東部で採掘され、武装勢力の資金源になっている鉱物は主に四種類あります。金、スズ、タングステン、タンタル（コルタンともよばれます）です。これらの鉱物は何に使われているのか、ひとつずつ見ていきましょう。

金と聞くと、指輪やネックレスなどの宝飾品や、金屏風や金箔などの美術工芸品を思い浮かべると思います。実は、そうした宝飾・美術品に使われている金は、金製品全体の二割ほどにすぎません。金の八割は、電子機器や機械部品の原料に使われているのです。身近なところで言うと、スマートフォン、タブレット、パソコン、ゲーム機などの電子機器には、たくさんの小さな部品が使われています。そうした部品を乗せる基板部分に金が使われているのです。

スズは、「はんだ」とよばれる、金属同士を接合する接着剤のような役割で使われます。機械の部品をつくる際に金属同士を接合したり、電子機器の小さな部品を基板に固定したりする際に使われます。「はんだ」として使われるスズが五割から六割程度です。また、缶詰や飲料の缶にもスズが使われています。

タングステンは、熱に強く、また、化合によってとても硬い合金をつくることができる鉱物です。そのため、タングステンの七割以上が、超硬(ちょうこう)工具という硬いものを切ったり削ったりする工具や、石油などを燃焼させる炉の材料として使われます。また、スマートフォンの着信を振動で伝えるバイブレーターにもタングステンが使われています。

タンタルは、電子機器の中で電気を蓄えたり放出したりするコンデンサという小さな部品に使われています。みなさんが持っているスマートフォンや一部のゲーム機は、手のひらに収まるくらいの小さなサイズだと思いますが、実は一九八〇年代までの携帯電話は、ショルダーバッグのようなかたちで重さが二〜三キログラムほどもありました。それが手のひらに収まるサイズにまで小型化したのは、タンタル・コンデンサが発明・改良されたおかげなのです。ただし、近年では、コンデンサの原料をタンタルからセラミックに変える取り組みが増えています。もしかすると数年後には、みなさんが手にしている電子機器にはタンタルが使われなくなっているかもしれません。

こうして用途を知ると、目に見えにくいだけで実は私たちの身近なところに鉱物が使われ

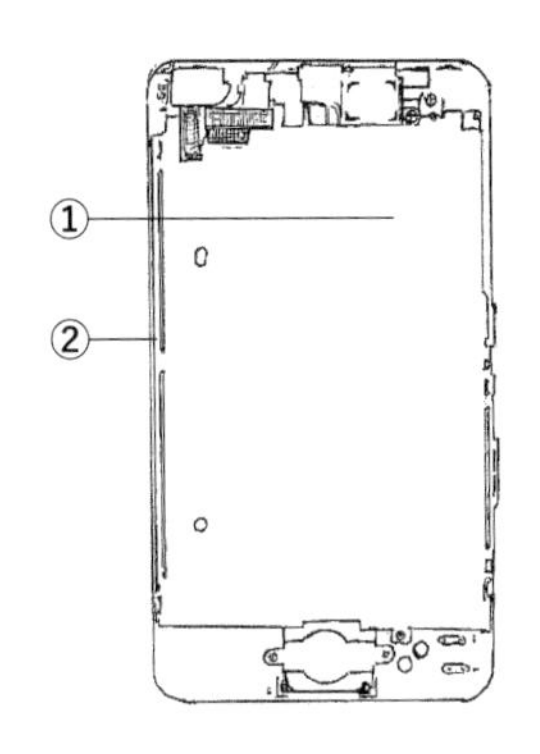

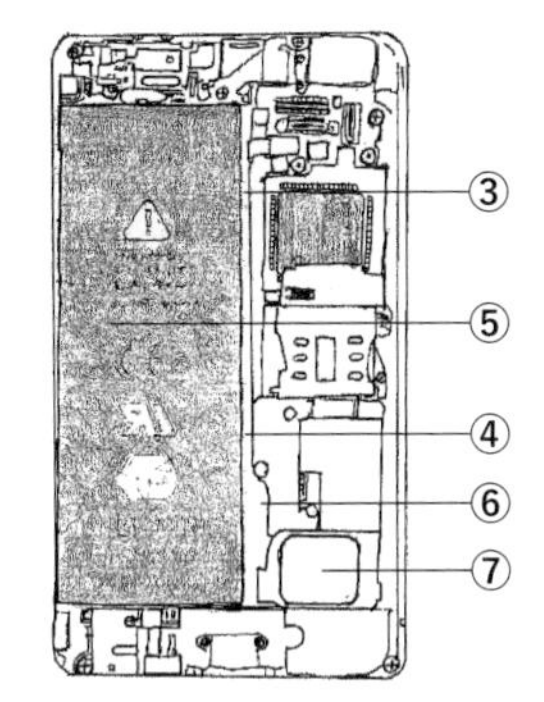

①タッチパネル、液晶パネル
ケイ素(シリコン)・石油・スズ
②金属又はプラスチックボディ
アルミ(金属ボディの場合)・石油
③コンデンサ
タンタル・アルミニウム・パラジウム・ニッケル・チタン(イルメナイト)・スズ・銅
④ IC チップ
ケイ素(シリコン)・スズ・銅
⑤バッテリー(充電池)(リチウムイオン電池)
炭酸リチウム・コバルト・ニッケル・スズ・銅
⑥プリント基板
金・銀・パラジウム・スズ・銅
⑦バイブレーター
タングステン・ニッケル・チタン・スズ・銅

＊各部品の代表的な原料のみ記載しています。
＊コンデンサ：電気を蓄えたり放出したりする電子部品のこと。適切な電圧調整をすることができます。

図 5-1　スマートフォンに使われている鉱物(作画：本橋彩香)

ていることが実感できるのではないでしょうか(図5-1)。

鉱物の旅：鉱石が製品となって私たちの手元に届くまで

鉱石が採掘・加工されて製品となり、私たちの手元に届くまでの工程を簡単に見てみましょう。

鉱山　鉱物はもともと鉱石という「石」のかたちで鉱山の地中に埋まっています。大規模鉱山の場合はショベルカーやブルドーザーのような重機で、小規模な手掘り鉱山の場合は鉱夫がシャベルやつるはしを使って採掘します。それから鉱石を砕いたり洗ったりして土などを落とし、袋に詰めます。

取引所　袋詰めされた鉱石は取引所に運ばれます。取引所には仲買人(なかがいにん)がいて鉱石を買い取り、トラックに載せて製錬所(せいれんじょ)に運びます。

製錬所　製錬所では、鉱石を熱したり薬品を使って溶かしたりして、純度の高い鉱物を取り出します。

加工工場　鉱物を粉、棒、線などの素材に加工します。

部品工場　さまざまな鉱物の素材を組み合わせて、電子機器の部品をつくります。

組み立て工場　さまざまな部品を組み合わせてスマートフォンやゲーム機などの製品に組み立てます。

販売店　製品がお店に並び、消費者が購入します。

ここでは簡単に七つの工程にまとめましたが、実際には素材に加工したりさまざまな部品をつくったりする過程でいくつもの工場に運ばれ、その間に違う国に何度も輸出・輸入されます。

たとえば、コンゴの鉱山で採掘された鉱石がルワンダの製錬所で製錬され、中東で売買されて東南アジアの加工工場で素材になり、中国の工場でネジになり、また別の工場で部品に組み込まれて組み立てられ、日本に輸入されて販売店に並ぶというようなイメージです。

このように、ある製品が原料調達から加工、販売、配達を経て消費者の手元に届くまでの

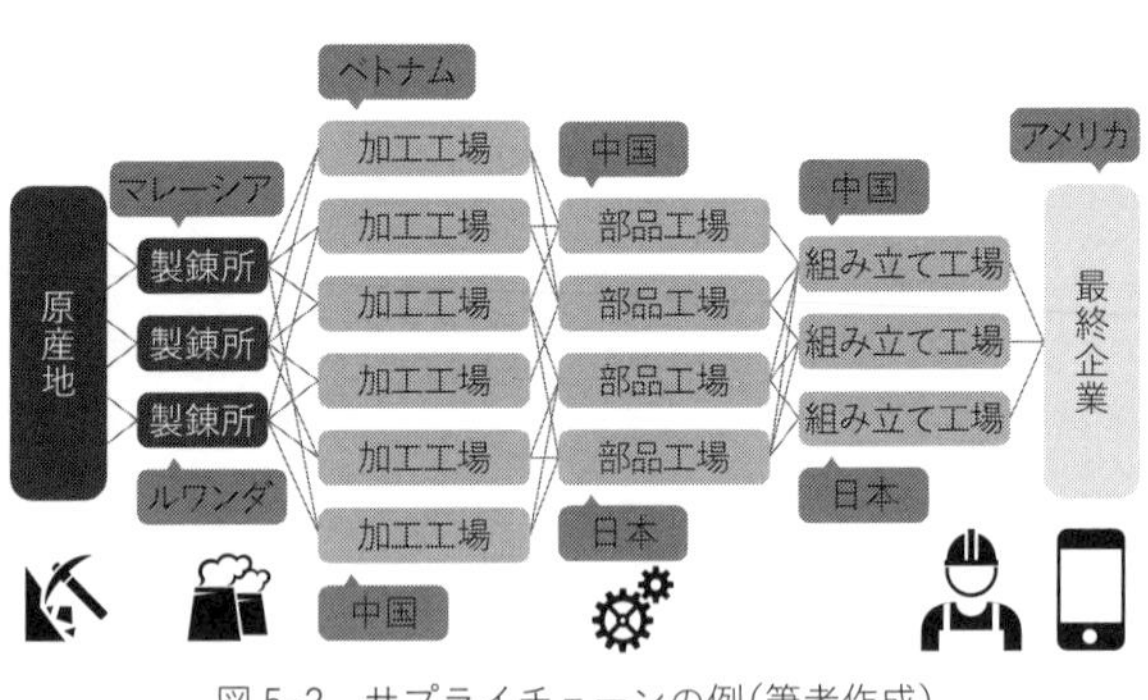

図 5-2　サプライチェーンの例(筆者作成)

全工程のつながりを「サプライチェーン」とよびます。サプライとは「供給」、チェーンとは「鎖」です。原料が供給され、次の工程に送られていく様子を一連の鎖にたとえたわけです。

また、川の流れのように鉱山から消費者の手元まで製品が加工されながら流れてくるので、鉱山のことをサプライチェーンの「上流」、最終製品を販売する企業のことを「下流」とよびます。上の図でいうと、左端が上流で右端が下流です(図5-2)。

タンタル・ブームは日本のゲーム機が引き起こした?!

四つの鉱物の中でも特にタンタルは、産地が限られた

「レアメタル」として知られています。世界のタンタル生産量の四割はコンゴで、三割は隣国のルワンダで生産されています。

今でこそコンゴが世界一の生産地となっているタンタルですが、一九九〇年代まではその存在があまり知られていませんでした。銅やスズの鉱石を採掘する際に副産物として採られる程度で、生産量は年間約三〇〇トンでした。ですが、一九九〇年代の後半に世界各地で携帯電話やゲーム機などの電子機器が普及してタンタル・コンデンサの需要が増えたことで、二〇〇〇年には生産量が一気に一〇〇〇トンにまで増えたのです。この急激な需要によってタンタルの値段が一気に上がり、タンタル・ブームが起きました。

二〇〇〇年のクリスマスプレゼントとしてソニーの「プレイステーション2」というゲーム機が人気だったことが、タンタル・ブームを引き起こしたとして、その原因は日本にあるという人もいます。ただし実際には、タンタルの需要拡大を見越してタンタルを買い占めた外国企業があったことが、ブームを引き起こした原因でした。

いずれにせよ言えることは、日本やアメリカ、ヨーロッパなどの先進国で新しい携帯電話、スマートフォン、ゲーム機などが発売されたり普及したりすることが、遠くアフリカの鉱物産出地域に影響するくらい、世界の経済はつながっているということです。

豊かな資源が豊かな生活に結びつかない現実

それでは、タンタル・ブームが起きたことによってコンゴの鉱山周辺の人々は鉱石をたくさん売ることができ、暮らしが豊かになったのでしょうか。

残念ながら、結果は全く逆でした。第三章でくわしく述べたように、二〇〇〇年は第二次コンゴ紛争の真っ最中でした。コンゴ東部の鉱山周辺には武装勢力のほかに隣国のルワンダ軍やウガンダ軍が駐留していました。こうした武装勢力や軍は、タンタル鉱石が高く売れることに目をつけ、地域住民に掘らせた鉱石をルワンダやウガンダに密輸して利益を得ました。住民は、十分な設備がない危険な鉱山でつるはしやポンプを使って鉱石を掘り、数十キログラムもの鉱石の袋をかついで運ぶ過酷な労働をすることになったのです。

一般的に、紛争がない地域の大規模な鉱山では、鉱山会社が鉱石を掘る作業の管理をしています。鉱山の土を掘って鉱石を探すために、ブルドーザーのような重機を使ったり、掘り出した土をベルトコンベアで運んで鉱石とほかの石を選り分けたり、鉱石を袋に詰めてトラックで運んだりします。鉱山で働く労働者は会社に雇われ、作業服や手袋、マスクのような装備を支給されたり、労働に見合った給料をもらったりします。

一方、コンゴ東部の小規模な鉱山は、紛争が始まって危険になったことから、企業が撤退してしまいました。そのため、ブルドーザーやベルトコンベアのような機械がないまま、鉱夫がつるはしを使って山にトンネルのような坑道を掘り進めていきます。坑道を深く掘り進むと酸素が不足したり、ときには坑道が崩れたりすることがあるため、とても危険な作業です。作業服や手袋、マスクなどの装備がないため、土ぼこりを吸い込んで肺を悪くしたり体を痛めたりすることもあります。ベルトコンベアやトラックがないために、重い鉱石の袋を背中に背負って運ぶことも重労働です。

こうした過酷な鉱山労働でようやく鉱石を採って売ろうとしても、武装勢力や軍の兵士に安く買いたたかれたり、売り上げの一部をまるで「税金」のように払うことを求められたりします。

電子機器の普及とともにタンタルの国際価格は高騰したのに、タンタル鉱石を掘っている鉱夫が豊かになったわけではないのです。

紛争鉱物調達調査の始まり

コンゴ東部で鉱物資源が紛争の資金源となったり、人権侵害の原因となったりしていることは、二〇〇〇年頃から国際社会で知られ始めていました。現地で活動するNGOや国連の専門家が調査を行い、報告書を公開して対応の必要性を訴えていました。

こうした訴えを受けて二〇一〇年に、アメリカとヨーロッパを中心とする先進工業国で「紛争鉱物取引規制」とよばれる取り組みが始まりました。具体的には、アメリカで制定されたアメリカ金融改革法(正式名称は「ウォール街改革及び消費者保護に関する法律」ですが、通称は「ドッド・フランク法」とよばれます)の一五〇二条と、ヨーロッパ諸国と日本およびアメリカが加盟する経済協力開発機構(OECD)が策定した「紛争地域および高リスク地域からの鉱物の責任あるサプライチェーンのためのデュー・ディリジェンス・ガイダンス」(以下、OECDガイダンスとよびます)という二つの規則ができました。これらの規則では、スズ、タングステン、タンタル、金を使用している先進工業国の企業に対して、鉱物の原産地を調査し、紛争の資金源になった鉱物ではないこと、つまり「紛争フリー」であると示すことが求められました。二〇二一年にはヨーロッパ連合（EU）でも規制が始まりました。

これは鉱物を使って電子機器や自動車などの製品を製造している企業にとって重大な規則です。なぜなら、たとえばパソコンやスマートフォンのような最終製品を製造している企業は、部品を自社でつくっているわけではなく部品専門の企業から買っているので、部品の原料にどのような鉱物が使われているかを知らなかったのです。同じように、部品専門の企業は素材を素材専門の企業から買っているので、原料となる鉱物がどこから調達されているかを知りませんでした。

そのため、紛争鉱物取引規制が始まると同時に、企業による大規模な調査が始まりました。たとえばパソコンを製造しているA社は、部品購入元のB社に「御社から買った部品には、紛争にかかわった鉱物は使われていませんよね」という調査を依頼します。B社は素材購入元のC社に「御社から買った素材には、紛争にかかわった鉱物は使われていませんよね」と調査し、C社はD社に……、というように、伝言ゲームのような調査が始まったのです。これを紛争鉱物調達調査とよびます。

日本の企業も調査を行っています。日本の国内では紛争鉱物に関する法律は制定されていませんが、アメリカやヨーロッパの企業と取引をするためには、調査をして「紛争にかかわった鉱物は使っていません」と証明しないと、取引ができないためです。みなさんの身の回りにあるパソコン、スマートフォン、ゲーム機、カメラやビデオ、冷蔵庫、テレビなどを製造している企業はいずれも調査に参加しています。

紛争にかかわらない鉱物を認証するしくみづくり

紛争鉱物調達調査が始まると同時に、調査をしやすくするしくみづくりも始まりました。多くの企業がバラバラに調査を行うのは大変なので、サプライチェーンの「上流」「中流」「下流」のそれぞれの段階で、紛争にかかわっていない鉱物を認証するしくみがつくられました(図5-3)。

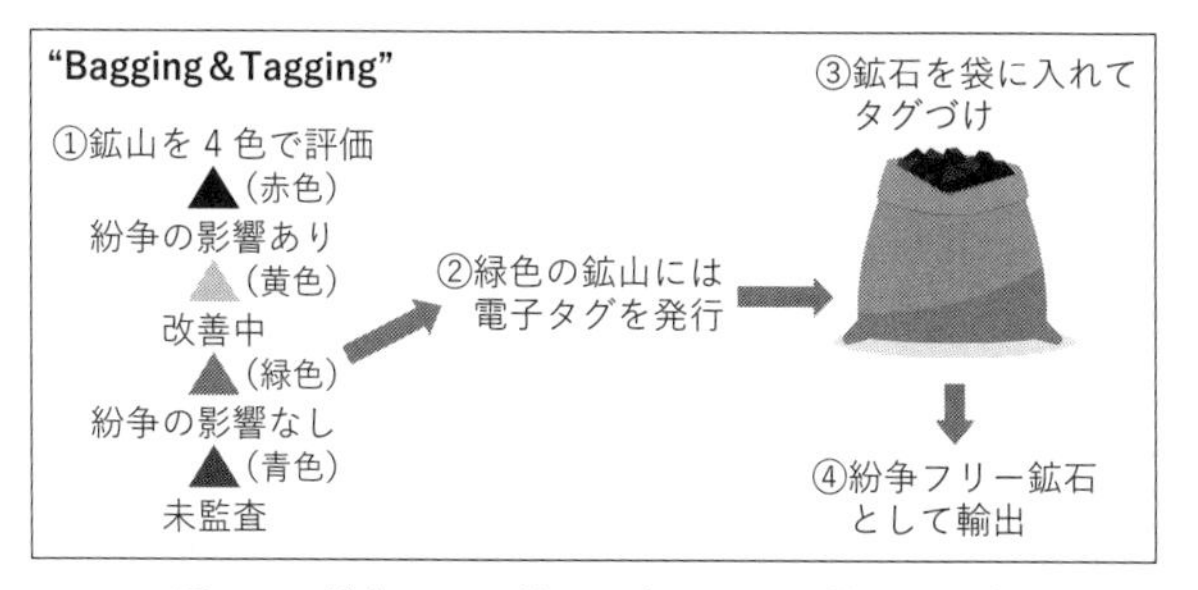

図 5-3　紛争フリー鉱石認定のしくみ(筆者作成)

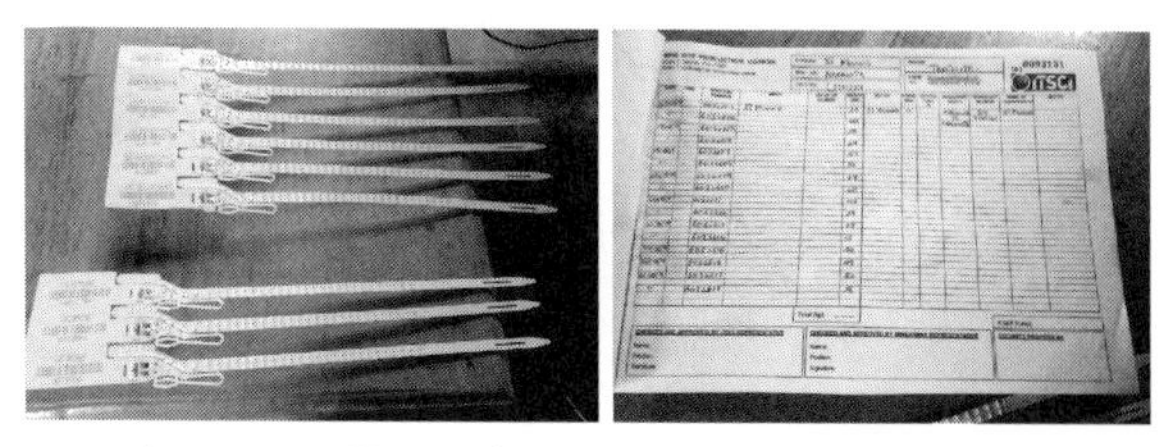

写真 5-1.5-2　電子タグと記録簿。ウガンダの鉱山のもの
(撮影：華井和代)

「上流」にあたる鉱山では、現地の政府と国際機関とNGOが協力して鉱山を監査するしくみがつくられました。鉱山を六か月間観察して、武装勢力や軍の兵士がいない、子どもや妊婦が労働させられていないなどの条件をクリアしている鉱山は「緑色」、改善中の鉱山は「黄色」、問題がある鉱山は「赤色」、監査を受けていない鉱山は「青色」という色分けの評価をします。「緑色」と認定された鉱山には、鉱山の名前を記した電子タグが配られます。「緑色」の鉱山で採掘された鉱石を袋に

上流	原産地：地域認証メカニズム（RCM） スズ産業：国際スズ協会（ITA） →　ITA スズ・サプライチェーン・イニシアティブ（ITSCI）	紛争フリー 鉱山の認定 
中流	責任ある鉱物イニシアティブ（RMI） →　責任ある鉱物保証プログラム（RMAP）	紛争フリー 製錬所の認定 
下流	電子機器産業：電子産業市民連合（EICC） ※2017 〜責任あるビジネス連合（RBA） 金産業：ロンドン貴金属市場協会（LBMA） ICT 産業：GeSI （グローバル・e- サステナビリティ・イニシアティブ）	統一調査用紙 （CMRT）の整備 

図 5-4　「紛争フリー」の認定をする取り組み（筆者作成）

入れてこの電子タグをつければ、「この鉱石は紛争にかかわっていない鉱石である」という証明になるわけです（写真5-1、5-2）。

「中流」にあたる製錬所では、紛争にかかわっていない鉱石しか扱っていない、「紛争フリー」の製錬所を認証するしくみがつくられました。企業が資金を出し合ってつくった「責任ある鉱物イニシアティブ（RMI）」という組織が世界中のスズ、タングステン、タンタル、金の製錬所（金の場合は精錬所）を監査して、基準に適合した製錬所には証明書を発行します。また、製錬所のリストをウェブサイトで公開しています。

「下流」にあたる部品や最終製品を製造する

企業の間では、統一調査用紙がつくられました。調査をする企業がみんな同じ調査用紙を使うことで、スムーズに調査が行えるようにしたのです。

このようなしくみづくりによって、アメリカでは約六割、日本では九割以上の企業が、自社の製品には紛争にかかわった鉱物が使われていないことを「証明」できるようになりました(図5-4)。

ここで「証明」にカッコがついているのには理由があります。その「証明」には疑問があるためです。

規制の実態　本当は抜け穴だらけ……?

規制と調査が始まって以降、コンゴ東部の鉱山からは武装勢力や軍の兵士が撤退したとNGOは報告しています。自分たちが鉱山に居座っていると「赤色」と評価されてしまい、電子タグが発行されず、鉱石が売れなくなってしまうからではないかと考えられます。特に、スズ、タングステン、タンタルの鉱山の八割以上から兵士がいなくなったと報告されています。金は鉱山の数が多いのと、監査のしくみがうまくできていないためにまだ四割にとどまっています。

それでは、鉱山から武装勢力や軍の兵士がいなくなったことで紛争は止まったのでしょうか。答えは残念ながらノーです。

鉱山から撤退した武装勢力や軍の兵士は、今も鉱山周辺に居座り続けています。たとえば鉱山周辺の道路に大きな石を置いたり、木から木にひもを渡すなど小さな障害物を置いたりしてトラックやバイクを通れなくします。一時停止したところで「この道を通りたければ○ドル払え」と要求する方法で、鉱物を運ぶトラックやバイクから「通行料」を取ります。あるいは、鉱山に向かう鉱夫たちに「鉱山に入りたければ一人○ドル払え」と「入坑料」を取ります。もっと大規模な武装勢力の場合は、鉱山近くの村で「ほかの武装勢力から守ってやるから一家族○ドル払え」とまるで「税金」のようにお金を集めます。こうして集めた資金が紛争に使われているのです。

鉱山を監査する今のしくみでは、このようにして鉱山周辺の道路や村で集められる紛争資金を防ぐことができません。鉱石が運ばれる過程で紛争にかかわっていても、「紛争フリー」

のタグは鉱山ですでにつけられているので、その鉱石は「紛争フリー鉱石」として取引されてしまうのです。

さらに、「緑色」の鉱山にしか発行されない電子タグが、盗まれて「赤色」の鉱山で採掘された鉱石の袋につけられたり、ほかの鉱山で採掘された鉱石の袋が「緑色」の鉱山に運ばれてきてタグをつけられたりするなどの不正も起きています。紛争フリーの鉱石を認証しようとする国際社会の取り組みと、その裏をかいて紛争にかかわった鉱石を混ぜてしまおうとする武装勢力の間のいたちごっこが続いています。

問題解決への取り組みをどう支えるか

私(華井)は日本で紛争鉱物調達調査に取り組んでいるさまざまな企業にインタビューをしました。日本の電子機器企業の業界団体である電子情報技術産業協会(JEITA)は「責任ある鉱物調達検討会」というグループをつくり、企業への説明会や会合を行っています。近年では「企業の社会的責任(CSR)」や「ビジネスと人権」という考え方が広がっているため、紛争や人権侵害にかかわった鉱物を使わないように、企業の担当者は尽力しています。

ですが、日本の企業が遠く離れたコンゴの鉱山の実態をとらえるのはとても難しく、がんばって調査をしてもなかなか紛争が終わらない実態に困っています。

ムクウェゲさんが日本を訪問した際の講演会に参加したり、ムクウェゲさんの活動を描いた映画『女を修理する男』や『ムクウェゲ「女性にとって世界最悪の場所」で闘う医師』の上映会に参加したりした企業の担当者もたくさんいました。コンゴで紛争が続いて住民が殺されたり家を焼かれたり、女性たちが残虐な性暴力にあっていることに胸を痛め、「私たちにできることは何だろう」と考えています。

ですが残念ながら、規制や調査を始めたからと言ってすぐに紛争が止まるほど問題は簡単ではないのです。第三章で描いたように、コンゴの資源が先進国のために利用される一方で資源を得るために住民が苦しむしくみは、長い歴史の中でつくり上げられてきました。資源依存型経済は政治腐敗、貧困、紛争の原因になっています。大きなしくみの中で鉱物取引という一点だけを「紛争フリー」にしようとしても、うまくいかないのです。

紛争鉱物取引規制や紛争鉱物調達調査を行うと同時に、政治腐敗をなくすように政府に働きかけること。貧困や感染症をなくすための開発援助に力を入れること。農業や産業が発展するように支援すること。周辺国が鉱物の密輸に関与しないように取り締まることなど、やるべきことはたくさんあります。武装勢力や軍が紛争を諦めるように、包括的な取り組みをしていくことが必要です。

コラム5 ❖ コバルトの需要増加――電気自動車も問題あり?!

二〇一七年以降、紛争鉱物調達調査をコバルトにも広げる動きが始まっています。コバルトは用途の広い鉱物です。さまざまな工業製品の原料になると同時に、加工するときれいな青色になるので、ガラスや陶磁器、絵の具の色づけにも使われています。また、充電ができるリチウムイオン電池の原料としても使われています。みなさんの身の回りにも、リチウムイオン電池はきっとたくさんあると思います。

コバルトはコンゴ南部のカタンガ州やカサイ州という、紛争が起きていない地域で採れるため、紛争鉱物ではありません。コンゴで採掘されるコバルトの八割は鉱山会社が管理する大規模鉱山で採掘されています。大規模鉱山では、ショベルカーのような重機で鉱山の土を掘って、ダンプカーで運び、ベルトコンベアを使って土の中から鉱石を選り分けるなど、機械を使うので労働者にも技術が必要です。こうした鉱山では、会社が労働者と契約を結んでいるため、労働問題は話し合いで解決されます。

一方で、残りの二割のコバルトが採掘される小規模鉱山には鉱山会社がなく、鉱夫がシャベルやつるはしなどの簡単な道具を使って山に坑道を掘り、手掘りで土を掘り出しています。掘られた土は川やポンプで水を汲み上げた池で洗われ、鉱石が取り出されます。こうした小規模な手掘りの鉱山では、安全に作業するための手袋やマスクが用意されていなかったり、長時間労働になるなど労働環境が悪かったりします。ときには坑道が崩れて鉱夫が命を落とすこともありますし、一五歳以下の子どもが働く児童労働が行われていることも問題視されています。

近年、環境問題への対応が重視される中で、ガソリンを使わない電気自動車が「環境に優しいエコカー」として注目されています。電気自動車のバッテリーにはコバルトが使われるため、コバルトの需要は急増しています。そして、世界のコバルト生産の七割はコンゴが占めているのです。

環境に優しい電気自動車が、その原料となるコバルトの産出地域では人権侵害を引き起こしているとしたら「人に優しくない」電気自動車になってしまいます。そのため、コバルト鉱山での労働者の人権を守ろうという動きが国際社会で高まり、第五章で紹介した紛争鉱物調達調査をコバルトにも適用する取り組みが二〇一七年頃から広がっています。

私たちにとって便利な製品が、その原産地では問題の原因となっていないか、世界経済のつながりの中で考えることが必要です。

第6章

私たちにできること

東京大学で講演したムクウェゲさん(写真提供：RITA-Congo)

戦争のない世界は絶対につくることができます。

一緒に夢を見て、一緒に行動をしましょう。

市民も政治を担う人も、市民社会の団体も、メディアも、核兵器のない、化学兵器のない、生物兵器のない、兵器としての性暴力のない世界を、人間の尊厳を再確認し、すべての人のために平等と自由を。歴史をみれば、国内でも国際レベルでも平和をつくるには、これ以外に進むべき道はないということは学べます。

より良い世界、より平和な世界をつくるために、一緒に立ち上がりましょう。

デニ・ムクウェゲ　二〇一九年　広島における講演
「グローバルな平和と正義をめざして」より

コンゴで起きている問題の複雑さに、読者のあなたは「できることなんてあるの？」と無力感を抱いているかもしれません。本当に難しい問題ですが、人間によって生み出され、維持されていることなので、人間が行動することでしか解決することはできません。本章では、日本に暮らす私たちに何ができるのか、一緒に考えていきましょう。

「映画を観に来て!」と誘われて

私(八木)がムクウェゲさんのことを知ったきっかけは、二〇一六年に「コンゴの性暴力と紛争を考える会」(RITA-Congoの前身)の学生メンバーの大平和希子さんから「映画の上映会をやるから観に来て!」と誘われたことでした。それは、『女を修理する男』というドキュメンタリー映画で、映画館ではなく、大学での自主上映会でした。正直に言うと「女を「修理する」なんて、ずいぶん変なタイトルだな」と思ったし、ムクウェゲさんのことも知らなかったので、あまり興味が持てませんでした。ですが、「友だちがこんなに熱心に誘ってくれるのだから」と、「おつき合い」のような気持ちで観に行きました。

紛争鉱物問題について聞いたことはありましたが、映画の中で描かれる現状は私の想像を超えるもので、大きな衝撃を受けました。また同時に、被害にあった女性たちが人生を再び歩み出している姿を観て、彼女たちの勇気と強さに胸を打たれました。そして、ムクウェゲさんが「修理」しようとしているのは、女性たちの体と心だけではなく、コンゴという国の政治や、紛争鉱物をめぐる世界の経済の構造も含まれるのだということがわかり、映画のタイトルの意味も理解することができました。

第三章にもありますが、上映会の最後に、主催者から「ムクウェゲさんを日本に招待しようと思っています」とお話がありました。映画を観る前にはあまり関心を持っていなかったのに、「もっとコンゴのことを知りたい。ムクウェゲさんのお話を直接聞いてみたい」と思うようになっていました。

ムクウェゲさんの講演会へ

そして、約四か月後の二〇一六年一〇月、本当にムクウェゲさんが来日することになりました。誰でも参加できる講演会があるということで、周りの人たちに「一緒に行かない？」と声をかけてみました。そのとき、ムクウェゲさんは日本では有名ではなく、多くの人にとってコンゴは身近な存在ではありませんでした(みんなスマートフォンを使っているのに!)。「その人だれ?」「コンゴってどこにあるの?」「紛争鉱物? なんだか難しそうだね」などの反応があり、なかなか一緒に行ってくれる人は見つかりませんでした。きっと、はじめに私を映画に誘ってくれた大平さんも同じような経験をしたのかもしれません。

一人だけ、一緒に行ってくれる人が見つかり、どきどきしながら講演会に参加しました。そこでは、三つの印象的なことがありました。

ひとつ目はもちろん、ムクウェゲさんのお話です。「コンゴで起こっていることは「殺人を伴う開発」です。国際社会はこれに加担しているし、無視しています」との力強いスピーチに圧倒されました。自分自身も加担しているということは「見たくない現実」でしたが、だからこそ「何かしなくては」と思わされました。

二つ目は、その場に聴衆として参加していたコンゴ出身の若者たちの姿でした。同じ場所で同じ話に耳を傾けることで、私にとって遠い存在だったコンゴが、急に近くなったように感じられたのです。そして、彼らの故郷で起こっている悲劇に目も向けず、モノがあふれる日本の「消費社会」の中で安全に暮らしている自分自身に、なんだか居心地の悪さのようなものを感じました。

三つ目は、会場が満員ではなかったことです。四〇〇名ほど入るホールはやっと席の半分が埋まるくらいだったと思います。「紛争鉱物のこと、コンゴで起こっていることを、もっと多くの人に知ってもらいたい。そうしなければ、現状は変わらない」と強く思いました。

講演会のあと、私は会場にいた大平さんと華井さんに駆け寄り「このことを教材にしよう。一緒にやろう。絶対やろう！」と言いました。突然の提案にもかかわらず、ふたりは「いいね！　やってみよう」と言ってくれたのです。

教材『スマホから考える世界・わたし・ＳＤＧｓ』をつくる

私は開発教育協会という教育ＮＧＯで働いています。教育ＮＧＯというと、途上国に学校を建てたり、教材や文房具を援助したりする活動を思い浮かべる人もいるかもしれません。ですが、私たちは外国での援助活動はしておらず、日本に暮らす市民(大人も子どもも)を対象に教育活動に取り組んでいます。教育といっても、国語や数学などの教科を教えるわけではなく、「開発」と「開発によって引き起こされる問題」に焦点を当て、どうしたらより公正で持続可能な社会にしていくことができるのか、望ましい「開発」とはどんなものかを考え、学んでいくものです。

その活動のひとつとして、私たちは教材を作成・発行してきました。教材は、教科書や参考書のように一人で勉強するためのものではなく、授業やワークショップをやる人のための手引書です。ですから、教材が一冊あれば、三〇人のクラスでも、四〇人が参加するイベントでも、みんなで一緒に学ぶことができます。教材をつかって授業やワークショップを実施してもらえば、紛争鉱物問題やコンゴで起こっていることを、より多くの人に知ってもらえるだろうと考えたのです。

図6-1『スマホから考える世界・わたし・SDGs』

そして、多くの人の協力を得て、ムクウェゲさんの講演会から一年半後の二〇一八年に『スマホから考える世界・わたし・SDGs』という教材を発行することができました。教材は「もっと知ろう！ スマホのこと」、「スマホを取り巻く問題を考えよう」、「わたしたちにできることを考えよう」の三つの章からなり、全部で一〇のワーク（授業案）が収められています。紛争鉱物の問題に加え、紛争と鉱山開発によってヒガシローランドゴリラが減少しているといった生物多様性への影響や、組み立て工場での労働問題、大量生産・消費・廃棄の問題も取り上げました（図6-1）。

教材を通して「知る」人を増やす

教材を発行すると、全国の学校やグループからたくさんの問い合わせがありました。私も、講師として高校や大学で授業をしたり、先生のための研修会でワークショップを実施したりしました。そのとき、大人からも子どもからも、本当にたくさんの「知らなかった」という声を聞きました。知らないこと、見えていないことには関心を持つことすらできません。教材を発行したことで、「知る」機会を生み出すことができたのだと思いました。

そのほかにも、以下のような感想が寄せられました。

「知らないこと、普段意識していないことばかりだった。自分一人の力の小ささに打ちのめされそうな日も多いが、一人ではできないことをたくさんの人の力でやっていくためにこういう種まきが大切だと思った」(教員)

「自分たちが便利な世の中のために使用しているものが、自分たちが知らない場所で紛争を長引かせている可能性があることが悲しいが、それが事実なので知らなくてはいけないと思った」(高校生)

「資源は無限ではないことを学びました。だからこそ、争いがおきたり命の危険にさらされたりするのだと気づきを得ました。そして、お金さえあれば新しいスマートフォンやパソコンが手に入る世の中で、それらがただお金と交換されているだけだと思わないように、人の命や生活が深くかかわっているということを頭に入れて使うことが重要だと感じました」(短大生)

「採掘する地域では、その鉱石を手に入れようとするさまざまな外国の経済的な争いに巻き込まれて、紛争まで起こる事態となったことを学び、便利な物がつくられている裏側では、そのことで想像以上に苦しくて辛い思いをしている人々がいるのだと気づきました」(短大

生）

「少しでもコストを抑えておきたいのかもしれないけれど、スマホ以外のものでも、どこから原料を調達しているか分からないということがなくなるようにしていかなければならないと思った。倫理的な消費者が求められているが、その姿勢は企業にも求められることだと思った」（大学生）

これらの感想にあるように、「これは、スマホだけ／コンゴだけのことではない」と気がつく人がたくさんいました。世界の経済の構造により、生産者と消費者の距離はどんどん遠く見えにくくなっています。私たちは食べ物も、着ている服も、どこで誰がつくり、どんなプロセスを経てここにあるのか知らないままに生活しています。見えなくなっている原料調達や製造、廃棄の現場では、暴力や人権侵害、環境破壊、汚職などの不正が横行していることがあります。「より安く調達・製造・廃棄しよう」という経済性が最優先される場合、これらの問題がより起こりやすくなります。

もうこんなことは終わりにしなくてはなりません。そのために、私たちにできることはあるのでしょうか。

私たちにできることを一緒に考える

教材『スマホから考える世界・わたし・SDGs』では、「わたしたちにできること」というワーク(授業案)をご紹介しています。ここからは、このワークに参加したつもりで考えてみてください。

ランキングシート(図6-2)にある一五の選択肢の中に、あなたが「大切だ」と思うものはありますか? 正解や間違いはないので、どれを選んでも構いません。もしあれば、三つ選んで、その理由も考えてみてください。そのほかにも、たくさんのアイデアがあると思います。もしあれば、左下の空欄に書いてみてください。

そして、自分以外の誰かに、何を選んだのか、なぜそれを選んだのかを話してみてください。相手から質問や意見が返ってきたら、よく耳を傾けて、話し合ってみてください。話したあとには、はじめに選んだものとは違う項目を「大切だ」と思うようになっていたり、思

A 家族や友人にスマホが引き起こしている問題について伝える	B 選挙のときに人権や環境保全を大切にする人や政党に投票する	C 人権に配慮しない会社のスマホの不買運動を行う
D 新聞やSNSに自分の意見を投稿する	E 製造現場の人々や原料加工に関わる人々のことを常に心にとめて生活する	F スマホを取り巻く問題を解決するよう議員に手紙を書いたり直接会って訴えたりする
G 実際に現地へ行って様子を見てくる	H 使わなくなったスマホはリサイクルのために回収場所に持参する	I 紛争解決や人権問題にかかわり活動するNGOなどに参加、支援する
J スマホ製造メーカーに原料調達先の人権や環境の状況について質問する	K 長く使えて労働環境や環境問題を考慮したスマホを作るようメーカーに提案する	L インターネットや資料でスマホや鉱物についてもっと調べる
M スマホは一切使用しない	N 仲間を集めて勉強会を開き、解決策を考える	O 今使っているスマホを使い続ける

図 6-2 「わたしたちにできること」ランキングシート

わぬ発見があったりするかもしれません。

このワークは、授業やワークショップで、複数の人と一緒にやることを想定してつくっています。グループでやってみると、それぞれが違う項目を選ぶことがほとんどです。また、同じ項目を選んでいても、選んだ理由が違うことがあります。ほかの人と意見が異なるのは当たり前のことです。多様な立場や考えがあるから、多様な行動やできることがあるのです。そして、その行動やできることに、優劣はありません。

実際の紛争鉱物問題においても、たったひとつの魔法のような解決策があるわけではなく、また、ムクウェゲさんのような英雄に「お任せ」しておけば解決できるわけではありません。ここに挙げた一五の選択肢がすべてではありませんが、これに沿って「できること」をさらに一緒に考えてみましょう。私の体験を元に、その一例をご紹介します。

言葉にしてみる・伝える

A　家族や友人にスマホが引き起こしている問題について伝える

D　新聞やSNSに自分の意見を投稿する

私の体験を振り返ってみると、まず友だちが「映画の上映会をやるから観に来て！」と誘ってくれたことがきっかけでした。その後、私はムクウェゲさんの講演会に周りの人を誘ったり、講演会での体験をSNSに投稿したり、「コンゴでこういうことが起こっているから、こんな教材をつくりたい」と話を聞いてもらったりしました。全員が理解してくれたわけではありませんが、質問や提案をもらうことで、さまざまな立場の人の考えを知ることができました。また、自分の考えを整理することができました。そして、理解して協力してくれる人も現れました。言葉にすることは勇気のいることですが、とても大切な一歩だと思います。

そして、私が幸運だったのは、「そんなの無理だよ」と否定的な言葉をかけられたり、茶化されたりしなかったことです。聞いてくれる人の存在はとても大切です。ですから、もしもあなたの周りで誰かがあなたに何かを伝えようとしていたら、耳を傾けてください。

自分から知ること・調べること・足を運ぶこと

E　製造現場の人々や原料加工に関わる人々のことを常に心にとめて生活する
L　インターネットや資料でスマホや鉱物についてもっと調べる
G　実際に現地へ行って様子を見てくる

「何かしたい」と思うような事柄に出会ったとき、世の中の見え方が変わることがあります。この本を読んだあと、コンゴのこと、紛争や性暴力のこと、スマートフォンなどの電子機器について興味や関心が高まって、ニュースもお店に並ぶ商品も、これまでとは違って見えるかもしれません。それは、あなたがこれまでと違うレンズ(視点)を手に入れたからです。

そして、そのレンズを持って、自分から調べたり学んだりすることは「できること」のひとつです。私は上映会や講演会に参加したことで、次の行動につながるきっかけを得ることができました。「現地」でなくても、関連すると思う場所に足を運んだり、催しに参加してみたりすることもお勧めします。本書の巻末でも、本や資料の一覧をご紹介しています。

消費者として・生産者として

C　人権に配慮しない会社のスマホの不買運動を行う
H　使わなくなったスマホはリサイクルのために回収場所に持参する
J　スマホ製造メーカーに原料調達先の人権や環境の状況について質問する
K　長く使えて労働環境や環境問題を考慮したスマホを作るようメーカーに提案する
M　スマホは一切使用しない
O　今使っているスマホを使い続ける

モノを選ぶとき、買うときに、どんな選択をするのかも「できること」のひとつです。不買運動・ボイコット(boycott)に加えて、より倫理的な商品を積極的に選んで買うバイコット(buycott)という言葉もあります。また、選びたいと思う商品がない場合は、メーカーに

「こういう商品をつくってほしい」「こういう商品なら買いたい」と提案することもできます。市民が「紛争とかかわりのない鉱物でつくられたスマホがほしい」と声を上げたことが、第五章にあるように、二〇一〇年の紛争鉱物取引規制の制定を後押ししました。

それでも、メーカーが商品をつくってくれない場合は……？　オランダでは、市民が「ないのなら自分たちでつくってしまおう！」と二〇一〇年にFairphone（フェアフォン）という会社を起業してしまいました。紛争鉱物を使わず、修理しながら長く使い続けることができるスマホを製造・販売しています。

また、タイガー魔法瓶株式会社は二〇二〇年にステンレスボトル生産において「NO・紛争鉱物」「NO・フッ素コート」「NO・丸投げ生産」「NO・プラスチックごみ」の「4つの約束」を表明しました。紛争鉱物については「紛争の資金源になっている鉱物資源を使いません。人の苦しみでつくられた原材料は、どんなに安価であったとしても使用しません」とウェブサイト上で説明をしています。

企業における「ビジネスと人権」やサステナビリティ（持続可能性）の取り組みは世界的に広がりをみせています。もしも自分が生産者の立場になった場合、事業活動全体における人権や環境への影響をチェックすること、「これまで通り」の原料調達方法や生産過程を見直し、変えていくことも「できること」のひとつです。

この社会を構成する市民のひとりとして

B　選挙のときに人権や環境保全を大切にする人や政党に投票する
F　スマホを取り巻く問題を解決するよう議員に手紙を書いたり直接会って訴えたりする
I　紛争解決や人権問題にかかわり活動するNGOなどに参加、支援する
N　仲間を集めて勉強会を開き、解決策を考える

紛争鉱物問題は、経済と政治の構造によって維持されているものです。ですから、個人の心がけや自発的な取り組みだけでなく、構造そのものを変えていくことが重要です。

アメリカのドッド・フランク法一五〇二条やEU規制のような法規制をつくるためには、政治的決定が必要です。政治的決定をするのは、政党や政治家ですから、市民が人権問題を

理解し解決しようと考える政党や政治家(議員)を選ぶことが重要です。また、取り組んでほしいことを政党や政治家に提言していくことも市民として私たちに「できること」のひとつです。

そして、問題解決のために活動するNGOや企業、団体を応援したり、グループをつくって活動したりすることも、解決を後押しする力になります。

たくさんのできること

ここに挙げたこと以外にも「できること」はたくさんあります。授業やワークショップに参加した人の中には、勉強会を開いた人や、映画の上映会を開催した人もいます。たとえば、この本を一緒に書いた立山さんは、テレビ番組や映画を制作しました。華井さんは研究者として、NGOとして紛争鉱物問題を調査して発信しています。第五章にあるように、日本の電子機器企業の業界団体である電子情報技術産業協会(JEITA)は「責任ある鉱物調達検討会」というグループをつくり、企業への説明会や会合を行っています。

インド独立の父といわれるマハトマ・ガンジーは「あなたの行動がほとんど無意味であったとしても、それでもあなたはしなくてはならない。それは、世界を変えるためではなく、世界によって自分が変えられないようにするためである」と言いました。どのような行動であっても、それは自分が変えられないようにする力、レンズを持ち続ける力になります。

ムクウェゲさんと、勇気ある女性たちと、そして、行動を始めた一人ひとりの列に加わって、「一緒に夢を見て、一緒に行動をしましょう」。

コラム6 ❖ ムクウェゲさんの大統領選挙への挑戦

二〇二三年末、ムクウェゲさんはコンゴの大統領選挙に立候補しました。なぜ、医師であるムクウェゲさんが選挙に出たのでしょうか。背景には、道徳的に正しい人に大統領になってほしいという国民の要望がありました。

かつて長年の独裁を行ったモブツ大統領は、国のお金や外国からの支援金で私腹を肥やしたことで有名でした。国民が貧困にあえいでいる中、豪華な邸宅を建て、プライベートジェットを購入し、ぜいたくをつくしました。

第一次コンゴ紛争で大統領の座についたローラン・カビラ大統領と息子のジョゼフ・カビラ大統領も同様でした。カビラ一族は、権力を使って広い土地や鉱山を手に入れ、ダイヤモンド産業を中心に多くの企業を運営しました。その規模は、法律で認められている範囲を超えています。

大統領がこのようなふるまいをすれば、ほかの人も同じようにふるまうものです。コンゴでは、政治家や役人が国民の税金を自分のポケットに入れたり、わいろを受け取ったりする不正や腐敗がはびこっています。

コンゴは民主主義の国ですから、不正をする政治家は選挙で選ばれないはずです。ところが、選挙が公正に行われないという問題があります。

第二次コンゴ紛争終結後の二〇〇六年に大統領選挙が行われ、ジョゼフ・カビラ大統領が選ばれました。コンゴの憲法では、大統領の任期は二期一〇年が上限であり、その後は退任しなければなりません。ところがカビラ大統領は、二期目が終わる二〇一六年を過ぎても選挙をせず、二年も延期しました。

二〇一八年にようやく選挙が実施されたものの、さまざまな不正が行われました。大統領が指名する後継者以外の候補者には嫌がらせが行われました。規則が変えられて立候補できなくされたり、演説ができないようにされたりしました。

それでもなお後継者の得票率が低いと判断すると、カビラ大統領は野党の候補であったフェリクス・チセケディ氏と秘密の協定を結び、票を操作して勝たせたと疑われています。

こうしてチセケディ大統領が就任したのです。

選挙の不正に国民は怒りました。だからこそ、次の選挙ではムクウェゲさんに立候補してほしい、大統領になって、コンゴの不正・腐敗・貧困・紛争という「病気」を治してほしいと望んだのです。

立候補したときにムクウェゲさんはこう訴えました。

「私たちの国は岐路に立っています。絶大な開発の可能性を持ちながら、貧弱な統治のために私たちの国はアフリカ大陸の恥となっています。内部からは劣悪なリーダーシップに侵され、外部からは資源をねらって獲物とされています。私たちは崩壊と侮蔑の脅威に直面し、かつてないほどの生存の危機に直面しています」

「私は私たちの国を救い、人々の尊厳を回復することをめざします」

残念ながら、身の安全のためにムクウェゲさんは選挙キャンペーンを広く行うことができず、さらに、今回の選挙でもさまざまな不正が行われた結果、現職のチセケディ大統領が再選されることになりました。それでも、選挙キャンペーンを通じてムクウェゲさんの平和へのメッセージが多くのコンゴ人に伝わる機会となったことを願っています。

コンゴ民主共和国の歴史年表

時　期	出来事
15 世紀頃〜	コンゴ川流域にいくつかの王国が成立
1885 年	コンゴ自由国の成立(ベルギー国王レオポルド 2 世の私的所有地)
1908 年	ベルギー領コンゴの成立(ベルギーの植民地)
1955 年	**ムクウェゲさん誕生**
1960 年	ベルギーからの独立 ➡コンゴ動乱の発生
1965 年	モブツ・セセ・セコがクーデタで大統領に就任
1994 年	隣国ルワンダでジェノサイドが発生 ➡大量のルワンダ難民がコンゴ東部に流入
1996 〜1997 年	第一次コンゴ紛争 ➡モブツ政権の打倒、ローラン・カビラ政権樹立
1998 〜2003 年	第二次コンゴ紛争 **1999 年にムクウェゲさんがパンジ病院を設立** ※ 2001 年にローラン・カビラ大統領暗殺、ジョゼフ・カビラ政権に交代
2003 年	紛争終結・新政府樹立 ⇔コンゴ東部では武装勢力による住民への暴力が続く
2006 年	大統領選挙でジョゼフ・カビラ大統領就任
2011 年	大統領選挙でジョゼフ・カビラ大統領再選
2016 年	ジョゼフ・カビラ大統領任期満了
2018 年	**ムクウェゲさんのノーベル平和賞受賞**
	大統領選挙の実施
2019 年	フェリクス・チセケディ大統領の就任
2023 年	大統領選挙でフェリクス・チセケディ大統領再選

ブックガイド

この本を読んで、もっと詳しく知りたい・学びたいと思った方のために、書籍や映像作品などを紹介します。専門的な論文もありますが、関心に応じて読んでみてください。

❖書籍

1 コンゴ紛争や紛争鉱物問題について詳しく学びたい方に

米川正子『世界最悪の紛争「コンゴ」――平和以外に何でもある国』創成社、二〇一〇年

小川真吾『ぼくらのアフリカに戦争がなくならないのはなぜ?』合同出版、二〇一二年

華井和代『資源問題の正義――コンゴの紛争資源問題と消費者の責任』東信堂、二〇一六年

神本光伸『ルワンダ難民救援隊ザイール・ゴマの80日――我が国最初の人道的国際救援活動』内外出版、二〇〇七年

大石賢一（原作）、石川森彦（作画）『14歳の兵士ザザ』Gakken、二〇一五年

2　ムクウェゲ医師の活動について詳しく知りたい方に

デニ・ムクウェゲ他著『すべては救済のために――デニ・ムクウェゲ自伝』加藤かおり訳、あすなろ書房、二〇一九年

デニ・ムクウェゲ『勇気ある女性たち――性暴力サバイバーの回復する力』中村みずき訳、米川正子監修、大月書店、二〇二三年

3　コンゴの歴史について深く学びたい方に

井上信一『モブツ・セセ・セコ物語――世界を翻弄したアフリカの比類なき独裁者』新風舎、二〇〇七年

三須拓也『コンゴ動乱と国際連合の危機――米国と国連の協働介入史、1960〜1963年』ミネルヴァ書房、二〇一七年

三浦英之『太陽の子――日本がアフリカに置き去りにした秘密』集英社、二〇二二年

4　私たちにできることを考えたい方に

開発教育協会『スマホから考える世界・わたし・SDGs』二〇一八年
飯田高・近藤絢子・砂原庸介・丸山里美編『世の中を知る、考える、変えていく――高校生からの社会科学講義』有斐閣、二〇二三年

5　コンゴについて幅広く知りたい方に

木村大治、武内進一編著『コンゴ民主共和国を知るための50章(エリア・スタディーズ)』明石書店、二〇二四年夏刊行予定
松浦直毅他編著『コンゴ・森と河をつなぐ――人類学者と地域住民がめざす開発と保全の両立』明石書店、二〇二〇年
田中真知『たまたまザイール、またコンゴ』偕成社、二〇一五年
ピーター・フォーバス『コンゴ河――その発見、探検、開発の物語』田中昌太郎訳、草思社、一九七九年

石川薫『アフリカの火――コンゴの森ザイールの河』学生社、一九九二年
草場安子『コンゴという国』明石書店、二〇〇二年
マタディ橋を考える会『マタディ橋ものがたり――日本の技術でつくられ、コンゴ人に守られる吊橋』佐伯印刷、二〇二一年

❖映画・DVD

1　ムクウェゲ医師の活動を描いたドキュメンタリー映画

『女を修理する男』ベルギー制作、二〇一五年
『ムクウェゲ「女性にとって世界最悪の場所」で闘う医師』日本制作、二〇二一年
＊二〇二四年六月現在、Amazon prime video で配信中。

2　コンゴが抱える問題を描いた映画・映像作品

『スマホの真実――紛争鉱物と環境破壊とのつながり』アジア太平洋資料センター、二〇一六年

『ソウル・パワー』アメリカ制作、二〇〇八年
『レオポルド王の幽霊』アメリカ制作、二〇〇六年
『魔女と呼ばれた少女』カナダ制作、二〇一二年

❖論文・政策提言

1　研究者による解説論文

難民研究フォーラム『難民研究ジャーナル第9号　特集：紛争と難民――コンゴ民主共和国から考える』現代人文社、二〇二〇年
〈所収論文〉
武内進一「コンゴ民主共和国の歴史と紛争――難民発生要因の見取り図」一六―三三頁
華井和代「コンゴ民主共和国における鉱物採掘と紛争――資源とくらす人々」三四―四九頁
佐藤千鶴子「南アフリカ共和国における難民受入れの現状と課題――コンゴ民主共和国出身者の実態を中心として」五〇―六八頁

華井和代「コンゴ民主共和国における紛争資源問題の現状と課題」日本国際問題研究所『国際問題』二〇一九年六月号 No.682、一七―二八頁

米川正子「なぜコンゴ民主共和国東部の治安が回復しないのか?――コンゴとルワンダの安全保障の意図と国連の中立性の問題」国際安全保障学会『国際安全保障』第四一巻 第四号、二〇一四年三月、六六―八四頁

2 研究に基づく政策提言

東京大学未来ビジョン研究センター SDGs協創研究ユニット『紛争鉱物取引規制への対応に関する提言』(二〇二二年二月公開)

*東京大学未来ビジョン研究センターのウェブサイトで閲覧できます(https://ifi.u-tokyo.ac.jp/news/12476/)。

3 JETROアジア経済研究所の論文

*いずれの論文もJETROアジア経済研究所の学術研究リポジトリにて無料で検索・閲

覧できます。

澤田昌人（二〇一七）「コンゴ民主共和国東部における住民の殺戮――平和維持活動に対する脅威」『アフリカレポート』第五五巻、七四―七八頁

澤田昌人（二〇一四）「コンゴ民主共和国における武装勢力掃討は成功するか？――対ADF作戦の難しさ」『アフリカレポート』第五二巻、七八―八七頁

武内進一（二〇〇八）「第Ｉ部　紛争勃発後の和平プロセス　第３章　コンゴ民主共和国の和平プロセス――国際社会の主導性と課題」『戦争と平和の間――紛争勃発後のアフリカと国際社会』一二五―一六二頁

武内進一（二〇〇七）「コンゴの平和構築と国際社会――成果と難題」『アフリカレポート』第四四巻、三―九頁

武内進一（二〇〇六）「第４章　紛争が強いる人口移動と人間の安全保障――アフリカ大湖地域の事例から」『人間の安全保障の射程：アフリカにおける課題』一五一―一九二頁

篠田英朗（二〇〇六）「第１章　人間の安全保障の観点からみたアフリカの平和構築――コンゴ民主共和国の「内戦」に焦点をあてて」『人間の安全保障の射程：アフリカにおける課

題』二三―六二頁
武内進一（二〇〇四）「東部コンゴという紛争の核」『アフリカレポート』第三九巻、三八―四二頁
武内進一（二〇〇三）「ウォーロードたちの和平――コンゴ紛争の新局面」『アフリカレポート』第三七巻、三三―三八頁
吉田栄一（二〇〇三）「ウガンダ軍のコンゴ内戦派兵とその資源収奪について――紛争地資源のつくるコモディティ・チェーン」『アフリカレポート』第三六巻、一一―一五頁
山極寿一（二〇〇〇）「ゴリラの大量虐殺とその背景――コンゴ民主共和国の内戦が脅かす野生動物と人間との共存」『アフリカレポート』第三一巻、一九―二三頁

おわりに

思うに希望とは、もともとあるものともいえぬし、ないものともいえない。それは地上の道のようなものである。もともと地上には道はない。歩く人が多くなれば、それが道になるのだ。

「故郷」魯迅(ろじん)(竹内好訳、岩波文庫『阿Q正伝・狂人日記』より)

これは、中国の小説家である魯迅という人の言葉です。私(立山)が二〇一六年にムクウェゲさんの取材を始めてからこの本ができるまでの道のりは、まさに魯迅のいう「道」のようなものでした。

取材を始めた当初、ムクウェゲさんは日本ではほぼ無名でした。そのため、最初に放送したドキュメンタリー番組は日本の人たちにムクウェゲさんを知ってもらうための「入門編」

ともいえる、とても小さな、ささやかなものでした。しかし、その後何回も番組を放送するうちに徐々に反響が広がり、二〇二二年にはドキュメンタリー映画『ムクウェゲ「女性にとって世界最悪の場所」で闘う医師』として全国の映画館で上映するまでになりました。本当に多くの方が映画館に足を運んでくださり、ムクウェゲさんのメッセージを受け取り、コンゴの女性たちに思いをはせてくれました。そして、それぞれ「自分にできることは何か」を考え、行動を起こしてくれました。

ある高校生は、パンジ病院で空手を習う女性たちのために空手着一三〇着を集めて寄付してくれました。彼は映画『ムクウェゲ』の中で女性たちが空手の練習をしている様子を観て、東京都空手道連盟に直談判してよびかけてもらったところ、多くの人が使わなくなった空手着と帯を寄贈してくれたのです。

また、国連機関で働くある女性は映画を観て「女性たちを支援する事業を立ち上げたい」と考え、パンジ病院に工場をつくってコンゴ東部の女性たちがサトウキビを原料にしたアルコール消毒剤をつくり、市場で販売する事業を立案しました。日本政府の協力もあり、国連工業開発機関(UNIDO)の正式事業として実現することになりました。この事業は女性たちの自立を助けるとともに、地域の感染症予防にも貢献できると期待されています。

正直なことをお話ししますと、二五年以上記者の仕事をしていて、自分のしていることに無力感を感じることがよくありました。

「私にはただ、伝えることしかできない」という無力感です。たとえばムクウェゲさんのこと、コンゴの女性たちのことを伝えたとしても、それによって明日、コンゴに平和が訪れるわけではない。世界を変えるのは難しい。自分がやっている仕事は無意味なのではないか？　そんな気持ちを常に抱き続けてきました。

しかし、映画『ムクウェゲ』をきっかけに多くの人が行動を起こし始めた姿に、きっと世界は変わる、今日より明日、世界はもっと良くなるという、希望を見た気がします。

そして今、この本を皆様にお届けすることができました。

ムクウェゲさんやコンゴの女性たちの物語をつづることで、さらに多くの人が「道」を歩くようになり、もっともっと大きな希望が生まれる。そんなきっかけになればいいと思います。

そのきっかけを世に出す手助けをしてくださった、岩波書店の村松真理さん、東京大学の廣澤歩さん、イラストを描いてくれた汪牧耘さんに感謝します。そして何より、読んでくださったすべての方に感謝いたします。ありがとうございました。

著者を代表して　立山芽以子

コンゴの子どもたち(撮影：立山芽以子)

【執筆者紹介】

立山芽以子

1973年生まれ。津田塾大学卒。1997年TBS入社。政治部、社会部、「news23」ディレクターなどを経て2022年からJNN北京支局長。映画『ムクウェゲ「女性にとって世界最悪の場所」で闘う医師』(2022年)で石橋湛山記念早稲田ジャーナリズム大賞受賞。

華井和代

1975年生まれ。東京大学博士課程修了。大学時代にイスラエルとパレスチナを訪問したことをきっかけに、紛争研究の道へ。コンゴの紛争鉱物問題と日本の消費者市民社会のつながりを研究し、NPO法人RITA-Congoを設立。主著は『資源問題の正義 ── コンゴの紛争資源問題と消費者の責任』(東信堂、2016年)。

八木亜紀子

1975年生まれ。静岡大学卒。大学時代に国際ワークキャンプに参加したことをきっかけに、市民活動の世界へ。国際協力NGOや中間支援組織等を経て、2007年にNPO法人開発教育協会(DEAR)に入職。教材作成や講座の企画・運営、講師派遣、政策提言活動等に従事している。

ムクウェゲ医師、平和への闘い
―「女性にとって世界最悪の場所」と私たち
岩波ジュニア新書 986

2024年6月20日　第1刷発行

著　者　立山芽以子（たてやまめいこ）　華井和代（はないかずよ）　八木亜紀子（やぎあきこ）

発行者　坂本政謙

発行所　株式会社 岩波書店
〒101-8002 東京都千代田区一ツ橋 2-5-5
案内 03-5210-4000　営業部 03-5210-4111
ジュニア新書編集部 03-5210-4065
https://www.iwanami.co.jp/

印刷・精興社　製本・中永製本

ISBN 978-4-00-500986-2　Printed in Japan

岩波ジュニア新書の発足に際して

きみたち若い世代は人生の出発点に立っています。きみたちの未来は大きな可能性に満ち、陽春の日のようにひかり輝いています。勉学に体力づくりに、明るくはつらつとした日々を送っていることでしょう。

しかしながら、現代の社会は、また、さまざまな矛盾をはらんでいます。営々として築かれた人類の歴史のなかで、幾千億の先達（せんだつ）たちの英知と努力によって、未知が究明され、人類の進歩がもたらされ、大きく文化として蓄積されてきました。にもかかわらず現代は、核戦争による人類絶滅の危機、貧富の差をはじめとするさまざまな人間的不平等、社会と科学の発展が一方においてもたらした環境の破壊、エネルギーや食糧問題の不安等々、来るべき二十一世紀を前にして、解決を迫られているたくさんの大きな課題がひしめいています。現実の世界はきわめて厳しく、人類の平和と発展のためには、きみたちの新しい英知と真摯（しんし）な努力が切実に必要とされています。

きみたちの前途には、こうした人類の明日の運命が託されています。ですから、たとえば現在の学校で生じているささいな「学力」の差、あるいは家庭環境などによる条件の違いにとらわれて、自分の将来を見限ったりはしないでほしいと思います。個々人の能力とか才能は、いつどこで開花するか計り知れないものがありますし、努力と鍛錬の積み重ねの上にこそ切り開かれるものですから、簡単に可能性を放棄したり、容易に「現実」と妥協したりすることのないようにと願っています。

わたしたちは、これから人生を歩むきみたちが、生きることのほんとうの意味を問い、大きく明日をひらくことを心から期待して、ここに新たに岩波ジュニア新書を創刊します。現実に立ち向かうために必要とする知性、豊かな感性と想像力を、きみたちが自らのなかに育てるのに役立ててもらえるよう、すぐれた執筆者による適切な話題を、豊富な写真や挿絵とともに書き下ろしで提供します。若い世代の良き話し相手として、このシリーズを注目してください。わたしたちもまた、きみたちの明日に刮目（かつもく）しています。（一九七九年六月）